KU-707-437

2000592500
NEATH PORT TALBOT LIBRARIES

Y GÊMAU OLYMPAIDD

a Champau'r Cymry

I Dafydd a Lowri, Trystan a Buddug a'r wyrion Gwenno, Ifan a Math

ISBN 978 1 84851 417 1

Dymuna'r awdur ddiolch i'r canlynol am eu cymorth gyda'r gyfrol: Rhianydd Morgan, Tegwyn Jones, Sharon Griffiths, Gordon Reed, Lynn Davies, Dr Terry Stevens, Mel Morgans, Staff Llyfrgell Abertawe, Prifysgol Rhydychen, Teulu William LeBeau, Mr a Mrs Graham Harcourt, Phil Cope, Prifysgol Houston, Texas, Asiantaeth Luniau Huw Evans, Marilyn Pugh, Hannah Elcock, Gwasg Dinefwr, Matthew Hackett ac Amgueddfa Olympaidd Lausanne. Diolch hefyd i'r ffynonellau amrywiol am gael defnyddio'r ffotograffau.

Dyluniwyd gan Rebecca Ingleby Davies, mopublications.com

Dymuna'r cyhoeddwyr gydnabod cymorth Adrannau Cyngor Llyfrau Cymru.

Argraffwyd a rhwymwyd yng Nghymru gan Wasg Gomer, Llandysul, Ceredigion, SA44 4JL

Alun Wyn Bevan

Y GÊMAU OLYMPAIDD
a Champau'r Cymry

Gomer

RHAGAIR

MAE POBL O BOB OED YN BREUDDWYDIO, YN ENWEDIG POBL BYD Y CAMPAU! Breuddwydio am wibio mewn crys coch a sgorio cais dros Gymru; penio gôl i gornel uchaf y rhwyd mewn rownd derfynol yn Wembley; sgorio cant ar gae criced Thomas Lord; marchogaeth enillydd yn ras y Grand National yn Aintree; taro ergyd gelfydd o flaen miloedd mewn rownd derfynol yn Wimbledon. Ond o'r rhain i gyd, mae'n rhaid mai ennill medal aur Olympaidd yw'r freuddwyd eithaf. Mae'r gyfrol hon yn bwrw golwg dros rai o uchafbwyntiau'r gorffennol yn ogystal â chofnodi straeon diddorol a dirdynnol am bencampwyr Olympaidd a hynny ar drothwy'r 'sioe fwyaf yn y byd' sy'n cyrraedd Llundain yn 2012.

Ar hyd y blynyddoedd mae'r Gêmau Olympaidd wedi creu arwyr o athletwyr o Norwy i Namibia, o'r Iseldiroedd i India ac o Gymru i Gambodia mewn cystadlaethau o bob math. I ryw raddau mae'r byd yn arafu bob pedair blynedd er mwyn i bawb gael eistedd nôl a thystio i ryfeddodau'r pencampwyr Olympaidd.

Credwch chi fi roedd hi'n anodd dewis a dethol ar gyfer y gyfrol hon, gan fod cymaint o hanesion am berfformiadau unigolion a thîmau ers i'r Barwn Pierre de Coubertin sefydlu'r Gêmau Olympaidd Modern nôl yn 1896.

Wyth mlwydd oed oeddwn i pan welais i lun o'r nofwraig Judy Grinham am y tro cyntaf – yn y *Western Mail* ar ôl ei buddugoliaeth yn y ras nofio dull cefn dros 100m i ferched yn Melbourne yn 1956. Fe ges i'n swyno ganddi hi a'r Gêmau Olympaidd. Hi oedd y ferch gyntaf o Brydain i ennill medal aur yn y pwll nofio oddiar Lucy Morton ym Mharis yn 1924.

Dechrau ras y 100m i ddynion yng Ngêmau Olympaidd Athen 1896

Yn 1960, adeg Gêmau Olympaidd Rhufain treuliais bythefnos yn gwylio ac yn gwrando ar yr holl gyffro o'r Eidal a glynu at bob un gair o sylwebaeth Alun Williams ar fuddugoliaeth Anita Lonsbrough yn y ras 200m dull broga i ferched. O ganlyniad, bob pedair blynedd, roedd hyd yn oed rygbi, criced a phêl-droed yn eilradd i'r campau Olympaidd. Roeddwn i yno yn y cnawd yng Ngêmau Olympaidd Munich 1972 yn un o'r gêmau pêl-foli ond wedi hen adael yr Almaen cyn y gyflafan ar y 5ed o Fedi pan laddwyd un ar ddeg o athletwyr Israelaidd gan derfysgwyr.

Ac mae'r Gêmau Olympaidd yn dal i greu cynnwrf. Eleni eto, fe fydd biliynau o bobl ledled y byd yn dilyn hynt a helynt y cystadlu ar sgrinau teledu ac yn llawn edmygedd o allu'r cystadleuwyr. O bryd i'w gilydd fe fydd y ffefrynnau'n dathlu, dro arall fe fydd yna enillwyr annisgwyl a phob hyn a hyn, fe fydd yna waw ffactor go iawn wrth i rywun neu'i gilydd chwalu record byd. Nôl yn 1896, y cystadlu oedd yn bwysig a'r mwyafrif yn ddigon bodlon datgan, 'Ry'n ni wedi cymryd rhan yn y Gêmau Olympaidd.' Ond ennill yw'r nod i'r athletwyr cyfoes; yr unig ddiddordeb bellach yw cael eu dwylo ar fedalau aur.

Mae fy nyled yn fawr i Sioned Lleinau am gymryd cymaint o ddiddordeb yn y gwaith, am ei chyngor a'i hawgrymiadau, i Rebecca Ingleby Davies am ei dylunio trawiadol, heb anghofio Gwasg Gomer am y gwaith cymen ar hyd y daith.

Alun Wyn Bevan

CYNNWYS

RUSSIA

Gêmau'r Hen Fyd

Teml yr Olympiad Zeus yn Athen, Groeg, heddiw

YNG NGROEG YR HENFYD, GANRIFOEDD CYN CRIST, adeiladwyd stadiwm ac ynddo le i 7,000 o gefnogwyr ar fryn serth ger teml gysegredig i Apollo. Yn y cyfnod hwnnw, pan oedd mabolgampau'n rhan hollbwysig o wyliau crefyddol y Groegiaid, bydden nhw'n trefnu gwahanol fabolgampau i anrhydeddu gwahanol dduwiau. Anrhydeddwyd Poseidon yng Ngêmau Isthmia a Zeus yng Ngêmau Nemea ac yna, bob pedair blynedd, cynhelid y Gêmau Olympaidd yn Olympia.

Yn wreiddiol, roedd yr athletwyr yn amaturiaid llwyr ond yna'n raddol dechreuodd pethau newid. Ym mhob mabolgampau, heblaw am y gêmau yn Olympia, byddai'r enillwyr yn derbyn gwobrau ariannol sylweddol a'r athletwyr mwyaf amlwg yn derbyn gwobrau presenoldeb. Ond yr anrhydedd mwyaf oedd derbyn tusw o ddail yr olewydd am ennill yn y Gêmau Olympaidd. Dyna oedd y freuddwyd i holl gystadleuwyr y cyfnod hwnnw – yn gymaint felly â'r freuddwyd am ennill medal aur i gystadleuwyr heddiw.

Ar y dechrau fel hyn, roedd y mwyafrif o'r athletwyr yn cystadlu'n noeth. Syniad rhyfedd iawn, meddech chi. Ond penderfynwyd gwneud hynny wedi i athletwr mewn un gystadleuaeth golli'r lliain oedd yn ei wisgo o gwmpas ei ganol. Yn sgîl yr embaras a'r ffaith iddo golli'r ras, penderfynwyd ei bod hi'n dipyn haws cystadlu heb yr un dilledyn!

Gyferbyn, mae cerflun o ŵr ifanc yn paratoi i daflu'r ddisgen. Crëwyd y cerflun pres hwn tua 450 CC gan y Groegiwr, Myron. Roedd

Adfeilion safle gêmau'r hen fyd yng Ngroeg

taflu'r ddisgen, yn ogystal â rhedeg, neidio, taflu'r waywffon a reslo, yn ddisgyblaethau yn y pentathlon ac yn brawf pendant o allu'r cystadleuwyr. Roedd gan fenywod yr hawl i gystadlu mewn rhai gêmau ond roedd yna reolau caeth yn perthyn i'r Gêmau Olympaidd. Nid yn unig roedd y gwragedd yn cael eu gwahardd rhag cystadlu ond doedd ganddyn nhw ddim hawl hyd yn oed i wylio'r cystadlu.

Mae'r cofnod cyntaf o'r Gêmau Olympaidd yn dyddio o 776 CC ond mae rhai haneswyr o'r farn i'r cystadlu ddechrau rai cannoedd o flynyddoedd cyn hynny. Cyn bo hir, y Gêmau Olympaidd yn Olympia oedd prif ŵyl Gwlad Groeg. Am fil o flynyddoedd cynhaliwyd yr extravaganza bob pedair blynedd gan oroesi rhyfeloedd a hyd yn oed oresgyniad y Rhufeiniaid yn OC 150.

Roedd y Gêmau Olympaidd yn cael eu trefnu i anrhydeddu Zeus. Ar drydydd diwrnod y cystadlu, roedd y cystadleuwyr, y swyddogion, y beirniaid a'r gwesteion yn gorymdeithio i allor Zeus lle roedd cant o ychen yn cael eu haberthu. Prif adeilad Olympia oedd Teml Zeus a thu fewn iddi roedd yna gerflun mawreddog o'r duw wedi'i gastio mewn aur ac ifori. Roedd hwn yn un o Saith Rhyfeddod yr Hen Fyd. Ar ddiwedd y bedwaredd ganrif, cludwyd y cerflun i blas yn Istanbul ond cafodd ei ddinistrio gan dân yn ddiweddarach.

Barwn Pierre de Coubertin

SEFYDLYDD Y GÊMAU OLYMPAIDD MODERN

MAE YNA DDIGON O FFRANCWYR O FRI. Yn eu plith, mae enwau cyfarwydd megis Gwilym Goncwerwr, Jeanne d'Arc, Victor Hugo, Paul Dukas, Alain Delon, Catherine Deneuve, Cyrano de Bergerac, Voltaire, Jean-Claude Killy, Claude Monet, Saint-Saëns, Napoléon Bonaparte, Guy Drut, Gustave Eiffel, Louis Blériot, Serge Blanco, Brigitte Bardot, Charles Aznavour, Just Fontaine, Raymond Blanc, Yves Montand, Coco Chanel, Armand Peugeot, Sylvie Guillem, Édith Piaf, Zinedine Zidane, Henri de Toulouse-Lautrec a Charles de Gaulle. Ond rhaid peidio anghofio'r Barwn Pierre de Coubertin.

Enw: **Pierre de Frédy, Barwn de Coubertin**
Dyddiad geni: **1 Ionawr 1863**
Man geni: **Paris, Ffrainc**
Dyddiad marw: **2 Medi 1937**

Yn fychan o ran taldra, a'i fwstash corniog neu fwstash cyrn beic yn amlwg iawn, y Barwn Pierre de Coubertin oedd sefydlydd y Gêmau Olympaidd Modern. Cafodd ei ddisgrifio fel addysgwr, cymdeithasegwr ac athronydd ac roedd eraill yn ei ystyried yn arweinydd moesol ac yn ŵr o weledigaeth eang. Yn syml, roedd Pierre de Coubertin flynyddoedd lawer o flaen ei amser.

Ar ôl darllen cyfrol Thomas Hughes, *Tom Brown's Schooldays*, penderfynodd de Coubertin ddysgu mwy am athroniaeth prifathro Ysgol Rugby, Dr Thomas Arnold. Bwriad Arnold yn yr ysgol oedd meithrin a datblygu unigolion o gymeriad yn hytrach na chanolbwyntio'n llwyr ar allu academaidd. Ar ôl ymweld â nifer o ysgolion preswyl yn Lloegr daeth y Ffrancwr i sylweddoli bod angen datblygu elfennau cystadleuol o'r maes chwarae mewn pobol ifanc er mwyn gallu creu yr unigolyn cyflawn.

Roedd de Coubertin am ddylanwadu ar bobl y byd a chredai mai drwy atgyfodi'r Gêmau Olympaidd y byddai'n debygol o ddiwygio cymdeithas. Pwysleisiai'n gyson fod yna dair rhan i bob unigolyn: y corff, y meddwl a'r cymeriad. Roedd wedi ei argyhoeddi mai'r corff oedd y dylanwad pennaf ar greu cymeriad. Roedd rhai o'r farn fod de Coubertin yn ffrîc, yn niwsans ac ambell un yn ei ddisgrifio fel snob. Ond mae un peth yn sicr – bu'n driw i'w deimladau a phrofi'i hun yn arloeswr yn ei faes. Mae'r Gêmau Olympaidd gyda ni o hyd ac mae'r diolch am hynny i'r gŵr a anwyd yn 20 Rue Oudinot, Paris ar 1 Ionawr 1863.

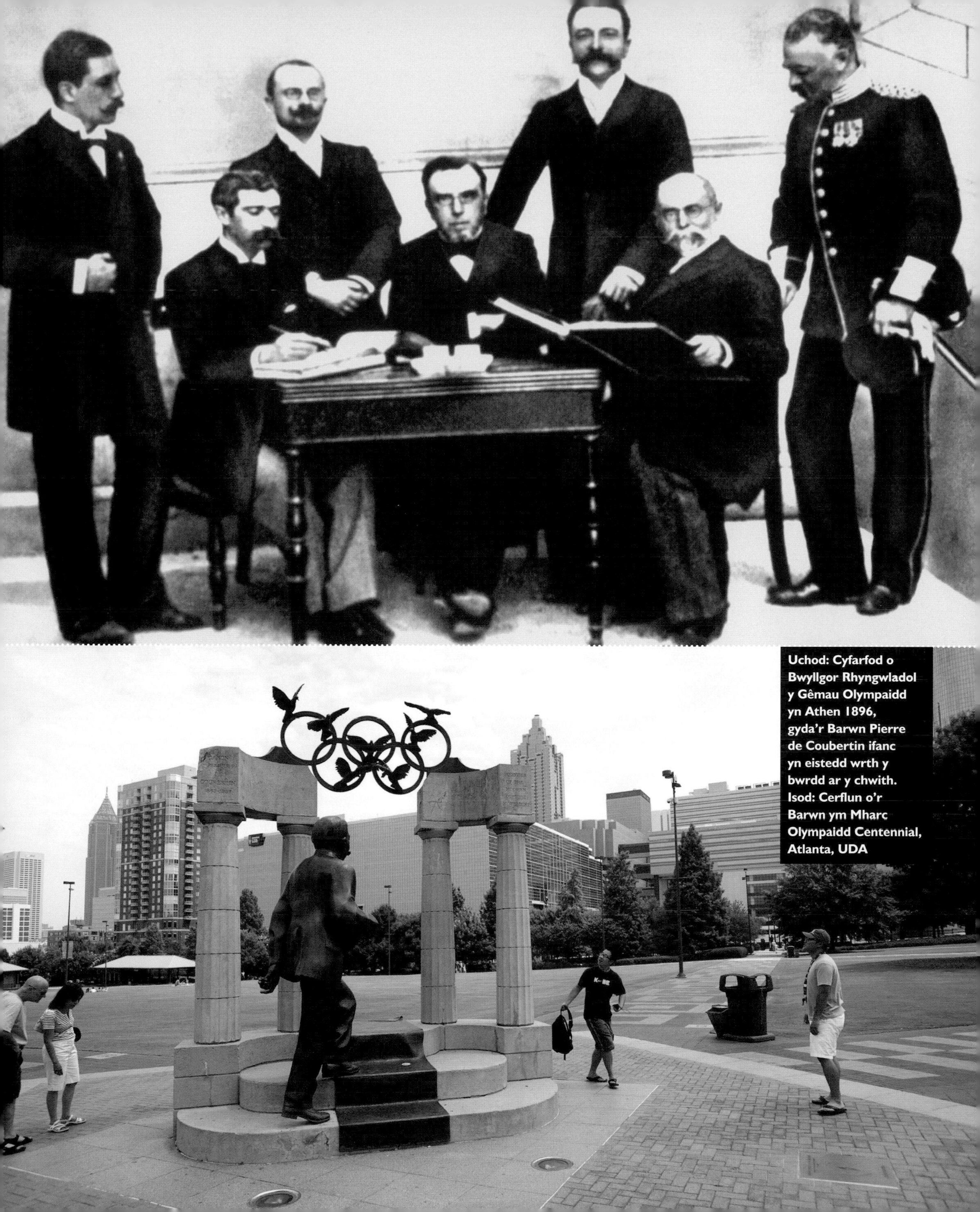

Uchod: Cyfarfod o Bwyllgor Rhyngwladol y Gêmau Olympaidd yn Athen 1896, gyda'r Barwn Pierre de Coubertin ifanc yn eistedd wrth y bwrdd ar y chwith. Isod: Cerflun o'r Barwn ym Mharc Olympaidd Centennial, Atlanta, UDA

Athen

Stadiwm Olympaidd Athen

1896

LÉON FLAMENG

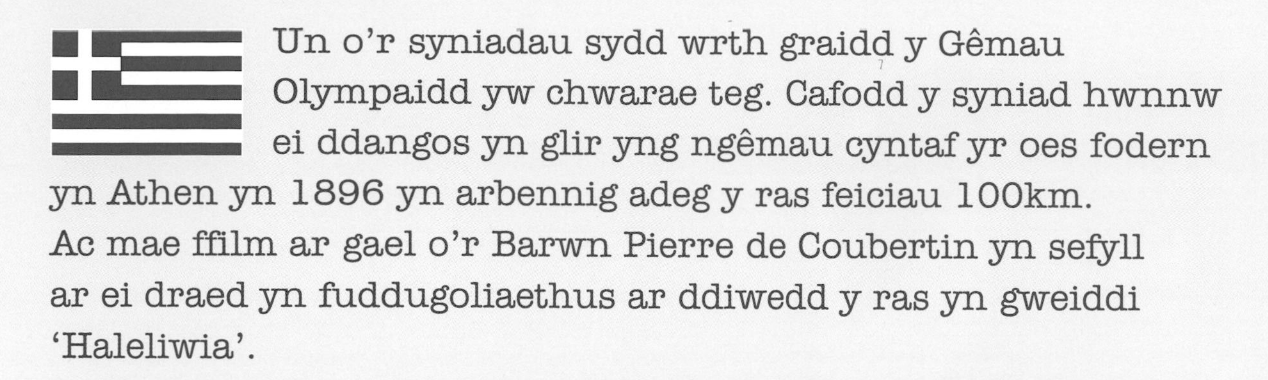

Un o'r syniadau sydd wrth graidd y Gêmau Olympaidd yw chwarae teg. Cafodd y syniad hwnnw ei ddangos yn glir yng ngêmau cyntaf yr oes fodern yn Athen yn 1896 yn arbennig adeg y ras feiciau 100km. Ac mae ffilm ar gael o'r Barwn Pierre de Coubertin yn sefyll ar ei draed yn fuddugoliaethus ar ddiwedd y ras yn gweiddi 'Haleliwia'.

Dau gystadleuydd yn unig a orffennodd y ras honno, sef y Ffrancwr, Léon Flameng, a'r arwr lleol, Georgios Kolettis. Roedd y ddau wedi lapio a gorlapio'r cystadleuwyr eraill yn y stadiwm yn ystod y ras. Doedd dim rhyfedd felly i gymaint o'r lleill roi'r ffidil yn y to.

Ond cyn diwedd y ras, bu'n rhaid i'r Groegwr Kolettis arafu oherwydd bod ganddo nam ar ei feic. Yn hytrach na manteisio ar y sefyllfa, fe arhosodd Flameng tan i Kolettis gael gafael mewn beic arall. Parhau wnaeth y ras, gyda'r Ffrancwr pwerus Flameng yn ennill o chwe lap ond derbyniodd gymeradwyaeth fyddarol gan y cefnogwyr cartref am ddangos y fath chwarae teg.

A dyma'r gair olaf ar y mater i'r gohebydd Americanaidd, Grantland Rice :

> **For when the One Great Scorer comes**
> **To mark against your name,**
> **He wrote – not that you won or lost –**
> **But how you played the game.**

James Brendan Connolly

ATHEN 1896

JAMES CONNOLLY OEDD ENILLYDD MEDAL AUR gyntaf y Gêmau Olympaidd Modern ar 6 Ebrill 1896, yn y gystadleuaeth herc, cam a naid. Ef oedd y pencampwr Olympaidd cyntaf ers 1,503 o flynyddoedd, gyda naid o 13.71m.

Darlithydd ym Mhrifysgol Harvard oedd Connolly. Er ei dalent arbennig ym myd athletau, gwrthododd yr awdurdodau yno roi caniatâd iddo fod yn absennol o'i waith. Ond eu hanwybyddu wnaeth Connolly a theithio gyda thîm yr Unol Daleithiau i Athen. Oherwydd hynny, collodd ei swydd yn y Brifysgol, ond o fewn rhai blynyddoedd, sefydlodd ei hun yn ohebydd ac yn awdur blaenllaw. Yn ddiweddarach yn ei fywyd, oherwydd ei lwyddiant a'i enwogrwydd, cafodd wahoddiad oddi wrth Brifysgol Harvard i dderbyn Gradd Doethuriaeth Er Anrhydedd.

Gwrthod y cynnig wnaeth Connolly!

Enw: **James Brendan Bennet Connolly**
Llysenw: **Jamie**
Dyddiad geni: **28 Hydref 1868**
Man geni: **De Boston, Massachusetts, UDA**
Dyddiad marw: **20 Ionawr 1957**
Taldra: **1.75m (5 troedfedd, 9 modfedd)**
Pwysau: **72kg (11 stôn, 3 pwys)**
Camp: **Herc, cam a naid**

LLWYDDIANT OLYMPAIDD
ATHEN 1896: MEDAL AUR

James B. Connolly yn dathlu ei lwyddiant

Spyridon Louis

ATHEN 1896

MAE RASYS MARATHON WEDI NEWID CRYN DIPYN ers cyfnod Spyridon Louis, y rhedwr o wlad Groeg. Y diwrnod cyn y ras yng Ngêmau Olympaidd Athen 1896, fe deithiodd y bachgen, oedd yn arfer cario dŵr ffynnon ar gefn asynnod, i bentref Marathon drwy'r glaw a'r cesair mewn ceffyl a chert gyda chriw o gefnogwyr. Tra oedd y rhedwyr o dramor yn paratoi eu cyrff ar gyfer y ras, aeth Louis i redeg o gwmpas y pentref. Yna, am un ar ddeg y bore, cyflwynwyd llaeth a dau wy i'r 17 cystadleuydd yn y ras cyn iddyn nhw ddechrau rhedeg i gyfeiriad Athen. Erbyn hynny, roedd Louis yn gwisgo sgidiau rhedeg a gafodd yn anrheg gan drigolion pentref Maroussi.

Ar ôl rhai milltiroedd o redeg, daeth tad ei gariad ag wy Pasg i'w fwyta a bicer o win i'w yfed i Louis. Teimlai'n gryfach wedi hynny a thyfodd ei hyder, yn enwedig o sylweddoli bod plismon ar gefn ceffyl yn ei chael hi'n anodd dal i fyny ag ef. Ar ôl 34km, roedd yn rhedeg ochr yn ochr ag Edwin Flack o Awstralia, oedd yn rhedeg gyda'i fwtler, oedd ar gefn beic yn gwisgo het fowler!

Ac yntau nawr ar y blaen yn y ras, cyflymodd Louis ei gam tua'r stadiwm lle roedd tyrfa o 70,000 yn aros am yr enillydd. Pan gyrhaeddodd, roedd y lle'n ferw gwyllt a gwragedd yn taflu gemwaith at ei draed. Roedd y peth yn anghredadwy wrth i fachgen cwbl gyffredin ennill medal aur Olympaidd yng nghystadleuaeth y marathon. Roedd pawb mor falch o'i lwyddiant. Yn wobr, addawodd Brenin Groeg gert a cheffyl newydd sbon i Louis fedru cludo'r poteli dŵr ffynnon i Athen!

Spyridon Louis yn ei wisg Roegaidd draddodiadol

Enw: **Spyridon Louis**
Dyddiad geni: **12 Ionawr 1873**
Man geni: **Maroussi, Groeg**
Dyddiad marw: **26 Mawrth 1940**
Taldra: **1.75m (5 troedfedd, 9 modfedd)**
Pwysau: **72kg (11 stôn, 3 pwys)**
Camp: **Y marathon**

LLWYDDIANT OLYMPAIDD
ATHEN 1896: MEDAL AUR

Paris

1900

FFEITHIAU DIFYR

Profodd Gêmau Olympaidd Paris yn 1900 i fod yn dipyn o farathon, gan ddechrau ganol Mai a gorffen ddiwedd Hydref.

Trefnwyd llu o gystadlaethau anarferol ar gyfer Gêmau Paris, yn cynnwys nofio tanddwr dan donnau'r afon Seine, ras rwystrau, tynnu rhaff (a enillwyd gan dîm cymysg o Sweden a Denmarc), naid hir, naid uchel a naid driphlyg heb rediad a thros ugain o wahanol fathau o ornestau saethu gan ddefnyddio ystod eang o arfau.

Stadiwm y Bois de Boulogne oedd cartref y cystadlaethau athletau gyda'r trac 500m yn gwbl anaddas ar gyfer rhedwyr gan fod y borfa'n llawer rhy wlyb a thrwchus.

Roedd y trac i'r gwibwyr yn ogystal â'r rhedfa i'r naid hir i lawr rhiw. Bu'r stiwardiaid yn cwyno'n gyson am ei bod hi'n amhosib gweld dechrau'r rasys o'r llinell derfyn.

Defnyddiwyd y geiriau *ffars* a *phatomeim* i ddisgrifio nifer o gystadlaethau'r Gêmau, yn cynnwys y marathon. Rhedwyd y ras o gwmpas hen furiau dinas Paris ond colli'u ffordd wnaeth y mwyafrif o'r rhedwyr ar ôl gadael y Bois de Boulogne. Wrth fynd i gyfeiriad Porth Passy, roedd yn rhaid i'r rhedwyr redeg drwy filoedd o bobl, beiciau niferus a cherbydau. Dim ond saith o'r pedwar ar bymtheg cystadleuydd lwyddodd i orffen y cwrs. Yr enillydd a groesodd y llinell derfyn rhyw bum munud o flaen y gweddill oedd Michel Théato, gŵr o Luxembourg oedd â rownd fara ddyddiol ym Mharis. Roedd hi'n amlwg ei fod yn gyfarwydd â daearyddiaeth y ddinas yn ogystal â sawl llwybr tarw!

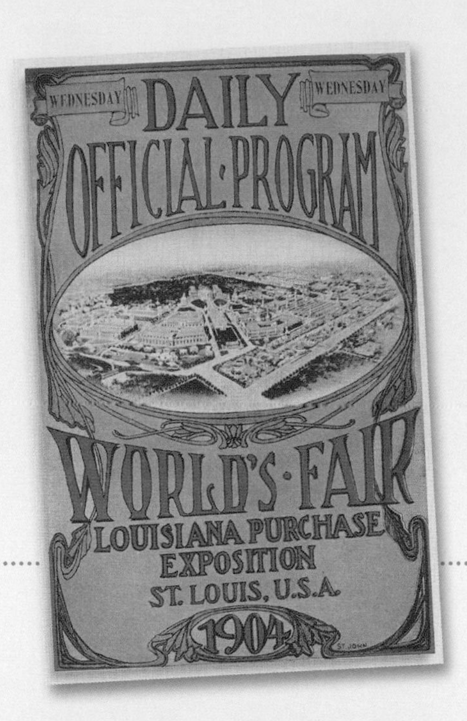

St Louis

1904

FRED LORZ A'R MARATHON

Does dim tystiolaeth ar ffilm o farathon Gêmau Olympaidd St Louis 1904. Ond yn ôl pob sôn, roedd y ras yn ffars llwyr!

Un o'r cystadleuwyr oedd y postmon pum troedfedd o daldra, Felix Carvajal o ynys Ciwba. Ar ôl begera o gwmpas Havana, hwyliodd mewn llong stimar i New Orleans gan wireddu ei freuddwyd o gael rhedeg yn ras y marathon Olympaidd. Er iddo golli pob dimau goch oedd ganddo yn gamblo ar hyd y ffordd yno, fe gyrhaeddodd ben y daith mewn da bryd. Doedd e ddim wedi denu unrhyw nawdd i dalu am ddillad rhedeg a bu'n rhaid iddo gytuno i gais y swyddogion i dorri'r trowsus gwlanen roedd e'n bwriadu ei wisgo ar gyfer y ras i'r pengliniau er mwyn iddo edrych fel athletwr.

Y cystadleuwyr yn barod i ddechrau ras marathon St Louis 1904, yn cynnwys Thomas Hicks (rhif 20), Fred Lorz (rhif 31) a Felix Carvajal (rhif 3)

Roedd dau Affricanwr cwbl ddibrofiad, Len Taunyane a Jan Mashiani wedi penderfynu cystadlu yn ras y marathon hefyd a hynny gan eu bod nhw'n digwydd bod yn St Louis ar y pryd. Roedden nhw yno i gynrychioli llwyth y Zulu yn Ffair y Byd – digwyddiad o bwys a oedd yn cydredeg â'r Gêmau Olympaidd y flwyddyn honno.

Roedd y tywydd yn afresymol o gynnes a'r rhedwyr yn gorfod cyfarwyddo â thymheredd o 37.7° Selsiws (100° Farenheit). Yn ogystal â'r gwres tanbaid roedd y ddinas yn llawn ceir y cyfnod a'r rheiny'n pesychu nwyon gwenwynig dros bob man. Darganfuwyd y rhedwr William Garcia druan yn gorwedd yn gwbl ddiymadferth ar ochr yr heol yn dioddef o waedlif yr ymennydd. Cafodd ei gludo i'r ysbyty lleol cyn diwedd y ras.

Thomas Hicks, enillydd y fedal aur yn ras y marathon

A dweud y gwir, roedd hi'n draed moch o ran trefniadau'r marathon. Cwyn y rhedwyr oedd bod prinder swyddogion i arolygu'r ras. Dim ond un stesion oedd wedi'i threfnu i ddosbarthu dŵr! Rhyw saith milltir o'r diwedd, cyflwynwyd cymysgedd o strycnin, cognac ac wyau i'r rhedwr Thomas Hicks gan ei fod yn cael anhawster aros ar ei draed. Ar ôl stumogi dôs arall o strycnin, roedd e mewn hwyliau rhyfeddol ac yn barod i nofio ar draws y Mississippi gerllaw!

Ond seren y sioe heb os nac oni bai oedd yr Americanwr o ddinas Efrog Newydd, Fred Lorz. Ar ôl rhyw naw milltir, ac yntau wedi blino'n lân, cafodd reid mewn cerbyd oedd yn digwydd tuchan ei ffordd heibio ar y pryd. Ar ôl cyrraedd pen ei daith, ffarweliodd â'r gyrrwr a cherdded gan bwyll i gyfeiriad y stadiwm Olympaidd i gasglu'i ddillad. Ac yntau'n agosáu at y llinell derfyn, credai'r swyddogion mai fe oedd ar y blaen ac yn ei ffolineb penderfynodd Lorz ymestyn ei gam. Rhedodd fel ebol dwyflwydd o gwmpas y trac, derbyn holl floeddiadau a chymeradwyaeth y dorf a chroesi'r llinell yn fuddugoliaethus. Am rai munudau, Fred Lorz oedd enillydd marathon Gêmau Olympaidd St Louis. Roedd y ffotograffwyr o'i gwmpas yn clicio'n wyllt a phan gyrhaeddodd Alice Roosevelt, merch Arlywydd yr Unol Daleithiau, i osod coron o lawryf ar ei ben, roedd Lorz yn ei seithfed nef.

Ond fe drodd pethau'n lletchwith pan ddaeth hi'n amlwg fod Lorz wedi camarwain pawb. Roedd yn embaras llwyr i'r cystadleuwyr

Thomas Hicks o UDA yn dioddef yn ystod ras y marathon. Cyflwynwyd cymysgedd o strycnin, cognac ac wyau iddo yn ystod y ras er mwyn rhoi egni iddo

Enw: **Thomas Hicks**
Dyddiad geni: **7 Ionawr 1875**
Dyddiad marw: **2 Rhagfyr 1963**
Man geni: **Cambridge, Massachusetts, UDA**
Taldra: **1.68m (5 troedfedd, 6 modfedd)**
Pwysau: **60kg (9 stôn, 4 pwys)**
Camp: **Y marathon**

LLWYDDIANT OLYMPAIDD
ST LOUIS 1904: MEDAL AUR

Enw: **Frederick Lorz**
Dyddiad geni: **Mehefin 1884**
Dyddiad marw: **4 Chwefror 1914**
Man geni: **Efrog Newydd, UDA**
Taldra: **1.72m (5 troedfedd, 8 modfedd)**
Pwysau: **69kg (10 stôn, 9 pwys)**
Camp: **Y marathon**

ac i'w gyd-Americanwyr. Roedd ei ymddygiad yn gwbwl groes i'r syniad Olympaidd o chwarae teg. Penderfynwyd diarddel Lorz o'r ras ar unwaith ac yn eironig ddigon, cyflwynwyd medal aur y marathon i Thomas Hicks, y gweithiwr pres o dalaith Massachusetts, y gŵr a yfodd y cymysgwch tocsig! Diolch i'r drefn, doedd neb ar gael i wneud prawf cyffuriau arno! Llwyddodd Carvajal i orffen yn bedwerydd a dychwelodd i Giwba yn arwr cenedlaethol.

Flwyddyn yn ddiweddarach, enillwyd Marathon Boston gan neb llai na Fred Lorz!

Llundain

Golygfa o stadiwm White City, cartref Gêmau Olympaidd 1908

1908

CWERYLA A CHECRU

Dyna helynt oedd yng Ngêmau Olympaidd Llundain 1908! Hyd yn oed cyn y seremoni agoriadol, roedd tipyn o gweryla a checru wedi bod rhwng gwledydd.

Y Ffindir a Rwsia: Oherwydd y sefyllfa wleidyddol, gofynnwyd i'r Ffindir orymdeithio y tu ôl i faner Rwsia!

Iwerddon a Phrydain: Yn 1908, Prydain oedd yn llywodraethu Iwerddon. Felly, roedd cryn dipyn o anhrefn pan gyhoeddwyd y byddai unrhyw lwyddiant Gwyddelig yn cael ei gofnodi'n fuddugoliaeth Brydeinig.

Yr Unol Daleithiau a Sweden: Anghofiwyd archebu baneri i gynrychioli'r ddwy wlad ar gyfer y Gêmau.

China a Siapan: Gosodwyd baneri China a Siapan i fyny ar bolion er nad oedd yr un o'r ddwy wlad yn cystadlu!

Prydeinwyr: Parhau wnaeth yr anghytuno drwy gydol y Gêmau pan gyhoeddwyd mai Prydeinwyr, a neb arall, fyddai'n arolygu'r cystadlaethau! Yn naturiol, arweiniodd hyn at brotestiadau di-baid, yn enwedig o gyfeiriad yr Americanwyr a oedd yn cwestiynu gallu'r Prydeinwyr i drefnu digwyddiad o'r fath. Hefyd, roedd nifer o'r gwledydd yn anhapus ag agwedd ffroenuchel y swyddogion. Doedd pethau ddim yn argoeli'n dda.

Wyndham Halswelle

LLUNDAIN 1908

YN ÔL GOHEBWYR Y CYFNOD, Y RAS 400M YN hwyr ar brynhawn Iau, 23 Gorffennaf oedd rhuban glas Gêmau Olympaidd 1908. Pedwar yn unig oedd yn y ras, a'r ffefryn oedd y Llundeiniwr o dras Albanaidd, sef yr Is-gapten Wyndham Halswelle, un o arwyr Rhyfel y Boer. Roedd e'n ffigwr cenedlaethol ac yn hynod boblogaidd. Pan chwalodd y record Olympaidd yn y rhagras, bu galw mawr am docynnau ar gyfer y ffeinal yn stadiwm White City.

John Carpenter o'r UDA ar ddiwedd ras y 400m. Cafodd ei ddiarddel yn ddiweddarach am rwystro Wyndham Halswelle o Brydain

Americanwyr oedd y tri arall yn y ras – y rhedwr du John Taylor (myfyriwr milfeddygaeth ym Mhrifysgol Pennsylvania), W. C. Robbins (o Brifysgol Yale) a J. C. Carpenter (o Brifysgol Cornell). Y gofid oedd y byddai'r tri Americanwr yn gweithio gyda'i gilydd i rwystro Halswelle rhag ennill y ras. Trac lludw oedd yn White City felly doedd dim lonydd wedi eu marcio. Felly, penderfynwyd lleoli llu o swyddogion o gwmpas y trac i gadw llygad barcud ar bawb. Rhaid cofio hefyd fod rheolau rasio'r cyfnod yn wahanol o un wlad i'r llall. Ym Mhrydain, roedd disgwyl i bob rhedwr gael cyfle teg i gyrraedd y llinell derfyn, ond yn yr Unol Daleithiau, roedd hawl gan redwyr i wthio athletwyr eraill o'r ffordd. Cafodd y pedwar rhedwr eu hatgoffa gan y cychwynnydd, Mr Harry Goble, y byddai unrhyw wthio anghyfreithlon yn arwain at waharddiad.

Yn ystod y ras, Carpenter, ar y tu fewn ac yn ymyl y borfa, oedd y cyntaf i fynd i'r blaen. Ar ôl 200m, datblygodd bwlch sylweddol o ryw 12m rhyngddo â'r gweddill, ond, â phrin 100m i'r llinell derfyn, closio wnaeth Robbins a Halswelle. Roedd y 60,000 oedd yn bresennol yn White City ar eu traed yn synhwyro diweddglo dramatig. A dyna a gafwyd! Am eiliad, roedd rhai'n amau fod Halswelle ryw ychydig ar y blaen ond yna, gwyrodd Carpenter ar draws yr Albanwr a'i wthio'n raddol i'r ochr. Gwylltiodd un o'r swyddogion, Dr Arthur Roscoe Badger. Edrychodd ar Carpenter yn symud yn bellach a phellach o'r borfa a chadw'i ysgwydd dde reit o flaen Halswelle a gwasgu i mewn i gyfeiriad ei frest. Erbyn hyn, roedd Badger yn gandryll a rhedodd ar y trac gan chwifio'i freichiau'n uchel i'r awyr i ddynodi gweithred anghyfreithlon. Ymunodd eraill yn y brotest ac o ganlyniad, penderfynwyd gostwng y tâp ar y llinell derfyn.

Enw: **Wyndham Halswelle**
Dyddiad geni: **30 Mai 1882**
Man geni: **Llundain**
Dyddiad marw: **31 Mawrth 1915**
Camp: **Rhedeg 400m**

LLWYDDIANT OLYMPAIDD
LLUNDAIN 1908: MEDAL AUR

Wyndham Halswelle yn croesi'r llinell derfyn i ennill y fedal aur

Arafodd Halswelle, Robbins a Taylor ond gwibio ymlaen wnaeth Carpenter a chroesi'r llinell derfyn gan feddwl ei fod wedi ennill.

Am rai eiliadau roedd yna ddistawrwydd annaturiol yn y stadiwm ac yna aeth hi'n anhrefn llwyr. Teimlai'r Americanwyr fod y penderfyniad i ymyrryd yn y ras yn annheg ond mynnai'r Prydeinwyr fod Carpenter yn euog o rwystro pwrpasol. Er mwyn ceisio tawelu'r miloedd, cyhoeddwyd y byddai ymchwiliad i benderfynu ar y canlyniad. Ymhen awr, wedi astudio'r holl dystiolaeth, penderfynodd y swyddogion Prydeinig fod canlyniad y ras 400m yn ddi-rym, fod Carpenter wedi'i ddiarddel ac y byddai'n rhaid i Taylor, Robbins a Halswelle redeg y ras am yr eildro y dydd Sadwrn canlynol.

Parhau wnaeth y dadlau. Ar y prynhawn Sadwrn tyngedfennol hwnnw, dim on un cystadleuydd oedd yn bresennol ar gyfer y ras. Gwrthododd Taylor a Robbins gymryd rhan. Rhedodd Wyndham Halswelle y 400m mewn amser o 50.0 eiliad gan hawlio'r fedal aur. Dyma'r unig enghraifft o 'fuddugoliaeth heb gystadleuaeth' yn hanes y Mudiad Olympaidd. Ond, bu'r profiad yn siom aruthrol i Halswelle. Teimlai fod yr Americanwyr, y swyddogion ac i raddau y Mudiad Olympaidd wedi gwneud yn fach ohono. Ar ôl cystadlu mewn un ras, arall penderfynodd ymddeol o'r gamp.

Bu farw Halswelle yn ffosydd Fflandrys yn 1915 mewn ymgais i achub milwr oedd wedi ei glwyfo. Dyna beth oedd gwir bencampwr!

Stockholm 1912

William LeBeau gyda'i dîm gymnasteg

LE BEAU A COWHIG

Yn 1912 yn Stockholm llwyddodd dau Gymro, William LeBeau a William Cowhig ennill medalau efydd fel rhan o dîm gymnasteg Prydain Fawr. Dyma'r unig dro yn hanes y Gêmau Olympaidd i Gymry gipio medalau yn y gampfa, ac er bod can mlynedd ers y digwyddiad, mae'r medalau hynny'n dal yn ddiogel ym meddiant y teuluoedd. Roedd y ddau'n aelodau o Glwb Gymnasteg Eglwys St Saviour yn ardal Sblot ac mae'r lluniau sydd ar gael o'r cyfnod yn dyst i bwysigrwydd gymnasteg a'r campau yn rhaglen wythnosol eglwysi Catholig y brifddinas. Roedd gan LeBeau, oedd yn ŵr caredig a diymhongar, rownd lo yn ardal y dociau yng Nghaerdydd. Noddwyd ef a William Cowhig gan y gymuned leol a'r eglwys. Onibai am yr haelioni hwnnw, fyddai'r ddau ddim wedi gallu teithio i gystadlu yn y Gêmau Olympaidd o gwbwl. Roedd LeBeau yn ddyn crefyddol, byth yn rhegi a byth yn colli'i dymer ac yn rhoi ei eglwys o flaen popeth arall.

Enw: William LeBeau
Dyddiad geni: 1881
Man geni: Sblot, Caerdydd, Cymru
Camp: Gymnasteg

LLWYDDIANT OLYMPAIDD
STOCKHOLM 1912: MEDAL EFYDD

Enw: William Cowhig
Dyddiad geni: 5 Ebrill 1887
Man geni: Caerdydd, Cymru
Camp: Gymnasteg

LLWYDDIANT OLYMPAIDD
STOCKHOLM 1912: MEDAL EFYDD

OLYMPIC GAMES
STOCKHOLM 1912
JUNE 29 th — JULY 22 nd.

Irene Steer

STOCKHOLM 1912

IRENE STEER OEDD Y FERCH GYNTAF O GYMRU i ennill medal aur Olympaidd a hynny yn ninas Stockholm yn 1912 wrth nofio yn y ras gyfnewid dull rhydd dros 100m. Y nesaf i gyflawni'r fath gamp oedd y feicwraig Nicole Cooke o Fro Morgannwg, 96 o flynyddoedd yn ddiweddarach. Roedd teulu'r Steers yn gymharol gyfforddus eu byd gan fod y tad, George Steer, yn berchen siop ddillad yng Nghaerdydd ac yn uchel ei barch. Roedd e'n frwd dros chwaraeon ac yn mynd ag Irene yn gyson i weld tîm rygbi Caerdydd a Chymru'n chwarae. Ond roedd llawer o dristwch yn perthyn i'r teulu hefyd. Bu farw brawd a chwaer Irene yn ifanc iawn – Mortimer o'r pâs a Gladys ar ôl llyncu botwm. Roedd Linda, y chwaer arall, yn gaeth i'w chadair olwyn ar ôl effeithiau'r diciâu.

Pan oedd hi'n naw mlwydd oed, dechreuodd Irene nofio ym mhwll Guildford Crescent a chanfod fod ganddi ddawn naturiol yn y gamp. Ar ôl blynyddoedd o ymarfer, enillodd ei chystadleuaeth gyntaf erioed yn Abertawe a hithau'n ddwy ar bymtheg oed. Enillodd yn rhwydd, ond cafodd dipyn o sioc pan gyrhaeddodd bwll nofio Hackney yn Llundain ar gyfer Pencampwriaethau Prydain yn 1909 gan ei fod ddwywaith maint y pwll yr oedd hi'n gyfarwydd ag ef yng Nghaerdydd.

Erbyn hynny, hi oedd un o'r nofwyr gorau ym Mhrydain a phapurau newydd y cyfnod yn ffyddiog y byddai'n rhan o'r tîm merched a fyddai'n cystadlu yng Ngêmau Olympaidd Stockholm 1912. Roedd Irene a'r teulu ar ben eu digon pan gafodd ei dewis. Gofynnwyd iddi brynu dillad tywyll a het wellt ar gyfer seremoni agoriadol y Gêmau cyn mynd i Hull, Gogledd Lloegr, i ddal y llong i Sweden. Ond, er yr holl edrych ymlaen, nid oedd y Gêmau'n fêl i gyd iddi. Bu'n hynod anffodus yn rhagras y 100m dull rhydd unigol pan drawodd yn erbyn cystadleuydd arall a chael ei diarddel. Ond gydag Irene yn nofio'n olaf, enillodd tîm merched Prydain y ras gyfnewid 100m yn yr amser gorau erioed!

Yn ddiweddarach, yn 1915, priododd y deintydd a chadeirydd tîm pêl-droed Caerdydd, William Nicholson. Roedd hi'n falch iawn o'i Chymreictod ac yn ystyried ei hun yn Gymraes go iawn.

Enw: **Irene Steer**
Dyddiad geni: **10 Awst 1889**
Man geni: **Caerdydd, Cymru**
Dyddiad marw: **18 Ebrill 1947**
Camp: **Nofio 100m dull rhydd**

LLWYDDIANT OLYMPAIDD
STOCKHOLM 1912: MEDAL AUR

Tîm nofio merched Prydain a enillodd fedalau aur. Irene Steer sydd ar y dde.
Isod: Blaen medalau Gêmau Olympaidd Stockholm 1912

Enw: **David Henry Jacobs**
Dyddiad geni: **30 Ebrill 1888**
Dyddiad marw: **6 Mehefin 1976**
Man geni: **Caerdydd, Cymru**
Taldra: **1.75m (5 troedfedd, 9 modfedd)**
Pwysau: **70kg (11 stôn)**
Camp: **Rhedeg 100m, 200m a 400m**

LLWYDDIANT OLYMPAIDD:
STOCKHOLM 1912: MEDAL AUR

David Jacobs

STOCKHOLM 1912

DAVID JACOBS OEDD YR ATHLETWR CYNTAF O Gymru i ennill medal aur yn y Gêmau Olympaidd. Wedi ei eni yng Nghaerdydd, symudodd y teulu i Lundain pan oedd Jacobs yn un ar ddeg oed. Yno, cafodd ei ysbrydoli gan gyffro Gêmau Olympaidd Llundain 1908. Ymunodd â Chlwb Athletau Harriers Herne Hill a datblygodd yn wibiwr o fri.

Rhwng 1910 ac 1914, enillodd ddeuddeg o brif gystadlaethau Pencampwriaethau Cymru, yn cynnwys y 100m, y 200m a'r 400m yn y Barri yn 1910 a Chasnewydd yn 1914.

Jacobs oedd capten tîm Prydain yng Ngêmau Olympaidd Stockholm 1912 ac roedd yn aelod hollbwysig o'r ras gyfnewid dros 100m. Yr Unol Daleithiau a'r Almaen oedd y ffefrynnau i ennill y ras honno, ond fe fethon nhw gario'r baton o gwmpas y trac. Ond, llwyddodd David Jacobs, Willie Applegarth, Harold McIntosh a Vic D'Arcy i dorri record y byd dros y pellter gydag amser o 42.45 eiliad.

Yn ystod yr Ail Ryfel Byd, dinistriwyd cartref Jacobs yn Denmark Hill gan fomiau'r Luftwaffe a chollwyd yr holl fedalau a'r cwpanau a enillodd yn ystod ei yrfa, yn cynnwys Medal Aur Olympaidd Stockholm.

Gorymdaith agoriadol Gêmau Olympaidd Antwerp 1920 yn cael ei harwain gan gystadleuwyr o UDA

Antwerp 1920

Medalau aur i ddau Gymro!

WU INFOMASTER
ICS 1PMMVIU MUN
06212 03-27

CYMRY'N TANIO YN ANTWERP. MEDALAU AUR OLYMPAIDD I BRYDAIN YN Y RAS GYFNEWID DROS 400M. DAU O GYMRU. CECIL GRIFFITHS O GASTELL-NEDD A JOHN 'JACK' AINSWORTH-DAVIS O ABERYSTWYTH. Y DDAU ARALL – GUY BUTLER A ROBERT LINDSAY. AMSER: 3 MUNUD 22 EILIAD.

BLWCH Y WASG – STADIWM OLYMPAIDD ANTWERP.

OND YNG NGHOFNODION CYMDEITHAS Athletau Cymru does yna ddim record fod John Ainsworth-Davis wedi cystadlu ym Mhencampwriaethau Cymru ond roedd Cecil Griffiths yn enw cyfarwydd. Enillodd ddeg o bencampwriaethau cenedlaethol ac yn ôl arbenigwyr y cyfnod gallai'r gŵr o Gwm Nedd fod wedi hawlio medal unigol yng Ngêmau Olympaidd Paris 1924. Roedd e'n un o redwyr chwarter milltir gorau Prydain. Ond penderfynodd y Gymdeithas Athletau Ryngwladol (IAAF) ei ddiarddel am dderbyn gwobr ariannol yn ei arddegau. Roedd hyn yn erbyn rheolau amatur y dydd.

Ychydig o wybodaeth sydd ar gael am John Ainsworth-Davis. Daeth e'n bumed yn ras y 400m yn Antwerp ac ar ôl gorffen yn bedwerydd ym Mhencampwriaethau'r AAA yn 1921 dros 440 llath, penderfynodd ymddeol er mwyn canolbwyntio ar ei yrfa feddygol. Daeth yn lawfeddyg wrolegol o bwys ac yn bennaeth yr adran lawfeddygol yn Ysbyty'r Llu Awyr yn Cosford yn ystod yr Ail Ryfel Byd.

John Ainsworth-Davies (chwith, blaen) gyda thîm athletau Prifysgol Rhydychen

Enw: **John 'Jack' Creyghton Ainsworth-Davies**
Dyddiad geni: **23 Ebrill 1895**
Man geni: **Aberystwyth, Ceredigion, Cymru**
Dyddiad Marw : **3 Ionawr 1976**
Camp: Rhedeg **400m**

LLWYDDIANT OLYMPAIDD
ANTWERP 1920: MEDAL AUR

Paulo Radmilovic

LLUNDAIN 1908
STOCKHOLM 1912
ANTWERP 1920
PARIS 1924
AMSTERDAM 1928

ER GWAETHAF EI ENW, HEOL BUTE YN ARDAL DOCIAU Caerdydd oedd milltir sgwâr Paulo Radmilovic – un o fawrion byd y campau yng Nghymru. Enillodd bedair medal aur Olympaidd rhwng 1908 ac 1924 a dod o fewn trwch blewyn i gipio medal yng Ngêmau Olympiadd Amsterdam 1928.

Yr adeg honno roedd Caerdydd yn ganolfan ddiwydiannol bwysig gyda'r dociau y prysuraf yn y byd wrth i'r glo o'r cymoedd gael ei allforio i bedwar ban byd. Nwyon gwenwynig, synau byddarol a budreddi afiach – dyna a amgylchynai Radmilovic a'i ffrindiau ifanc wrth iddyn nhw nofio yng nghamlas Morgannwg, o fewn tafliad carreg i'w gartref yn nhafarn y Glastonbury Arms. Ond roedd gan Radmilovic dalent. Er mwyn cryfhau'r cyhyrau fel nofiwr, dechreuodd grwydro ymhellach o'i gartref a nofio yn erbyn llif afon Taf yn ardal Blackweir. Yn ddiweddarach, nofiai'n ddyddiol ym mhwll Guildford Crescent gan ennill bri bob blwyddyn yn ras yr afon Taf. Dyma a ysbrydolodd rhai i roi'r llysenw 'Morgi'r Taf' iddo.

Ar ôl creu argraff yn y gêmau answyddogol yn Athen yn 1906, cipiodd fedalau aur yn y ras gyfnewid dros 200m a'r polo dŵr yng Ngêmau Olympaidd Llundain 1908. Daeth medal aur arall i'w ran yn Stockholm yn 1912 ac yntau erbyn hyn yn gapten ar y tîm polo dŵr. Paulo oedd yr arwr yn Antwerp yn 1920 pan sgoriodd y gôl fuddugol mewn rownd derfynol gorfforol yn erbyn Gwlad Belg. Ond doedd cefnogwyr y tîm cartref ddim yn fodlon iawn â'r canlyniad, a bu'n rhaid i heddlu arfog hebrwng 'Raddy' o'r ganolfan nofio ar ddiwedd y gêm.

Yn 1967 cafodd Paulo ei urddo gan Oriel Nofio'r Anfarwolion yn Fflorida – yr ail yn unig o Brydain i dderbyn yr anrhydedd ar ôl Capten Matthew Webb, y gŵr cynta' i nofio ar draws y Sianel yn 1875. Yn ôl y sôn, roedd Paulo'n dal i nofio dros chwarter milltir y dydd tan ei fod yn 78 oed ac yntau'n berchennog Gwesty'r Imperial yn Weston-super-Mare!

Enw: **Paulo Francesco Radmilovic**
Llysenw: **Raddy a Morgi'r Taf**
Dyddiad geni: **5 Mawrth 1886**
Man geni: **Caerdydd, Cymru**
Dyddiad marw: **29 Medi 1968**
Taldra: **1.8m (5 troededd, 11 modfedd)**
Pwysau: **76kg (12 stôn)**
Camp: **Nofio a pholo dŵr**

LLWYDDIANT OLYMPAIDD:
LLUNDAIN 1908: 2 FEDAL AUR
STOCKHOLM 1912: MEDAL AUR
ANTWERP 1920: MEDAL AUR

Paavo Nurmi

ANTWERP 1920
PARIS 1924
AMSTERDAM 1928

PAAVO NURMI NEU'R *FLYING FINN* YW UN O REDWYR pellter canol a phellter hir gorau erioed. Yn y 1920au, roedd hwn ymhell bell o flaen ei amser ac ymhell bell o flaen ei gyfoedion o ran gallu a thechneg. Llwyddodd i greu dulliau ymarfer chwyldroadol ac yn sgîl hynny, chwalodd 28 record byd mewn degawd o gystadlu mewn rasys oedd yn amrywio o ran hyd o filltir i 20km.

Yn berson tawel oedd wrth ei fodd yn encilio i'w fyd bach ei hun, roedd Nurmi'n casáu cyhoeddusrwydd. Ond, daeth y byd i wybod am gampau Nurmi yn dilyn Gêmau Olympaidd Antwerp 1920 pan enillodd fedalau aur unigol yn y rasys traws gwlad dros 8,000m a 10,000m. Ym Mharis yn 1924, cipiodd bum medal aur a bu'n llwyddiannus eto yn Amsterdam yn 1928 gan ymestyn ei gyfanswm i naw medal aur a thair medal arian.

Wrth ymarfer, roedd Nurmi'n dilyn trefn ffitrwydd lem – yn gwrthod alcohol, cig a chaffein ac yn treulio'i amser yn cerdded yn ddi-baid yn ei amser sbar. Wrth gystadlu, cariai wats yn ei law er mwyn cadw tempo cyson a chyflym a thorri calon ei wrthwynebwyr o'r cychwyn cyntaf. Onibai am benderfyniad annheg Llywydd y Ffederasiwn Athletau Rhyngwladol, Sigfrid Edstrom o Sweden, i'w ddiarddel am dderbyn treuliau teithio yn dilyn ymweliad â'r Almaen yn 1932, byddai Nurmi wedi ychwanegu at ei gyfanswm medalau, heb amheuaeth. Rhedodd am dair blynedd arall yn y Ffindir gan fod ei famwlad o'r farn fod yr athletwr iconaidd yn gwbl ddieuog o'r cyhuddiadau. Ar ôl cryn dipyn o berswâd, cytunodd i oleuo'r fflam yn seremoni agoriadol Gêmau Olympaidd Helsinki 1952.

Paavo Nurmi ar ei ffordd i ennill Record Awr y Byd gyda phellter o 19 km a 210m

Enw: **Paavo Johannes Nurmi**
Llysenw: **The Flying Finn**
Dyddiad geni: **13 Mehefin 1897**
Man geni: **Turku, Y Ffindir**
Dyddiad marw: **2 Hydref 1973**
Taldra: **1.74m (5 troedfedd, 9 modfedd)**
Pwysau: **65kg (10 stôn, 2 bwys)**
Camp: **Rhedeg pellter canol a hir**

LLWYDDAINT OLYMPAIDD
ANTWERP 1920: 3 MEDAL AUR A MEDAL ARIAN
PARIS 1924: 5 MEDAL AUR
AMSTERDAM 1928: MEDAL AUR A 2 FEDAL ARIAN

Eric Liddell yn croesi'r llinell derfyn

Paris 1924

CHARIOTS OF FIRE

Digwyddiadau Gêmau Olympaidd Paris 1924 oedd yn sail i'r ffilm enwog *Chariots of Fire*. Adrodd hanes dau redwr y mae'r ffilm, sef Harold Abrahams yn ras y 100m, oedd a'i fam, Ester, yn dod o Gymru, a'r Albanwr Eric Liddell, yn ras y 400m. Ynddi, ceir cameo reit ddirdynnol ar long, pan welir y Brenin Siôr VI, yn pledio ag Eric Liddell i ailfeddwl ynglŷn â'i benderfyniad fel Cristion i beidio â rhedeg rhagras y 100m ar y Sul. Ond roedd Eric Liddell wedi twyllo pawb. Roedd yn gwybod ers misoedd fod y ras hon yng Ngêmau Olympaidd Paris i'w chynnal ar ddydd Sul, a heb yn wybod i neb, roedd wedi bod yn ymarfer yn galed ar gyfer ras y 400m!

Enw: **Eric Henry Liddell**
Dyddiad geni: **16 Ionawr 1902**
Man geni: **Tianjin, Gogledd China**
Dyddiad marw: **21 Chwefror 1945**
Taldra: **1.73m (5 troedfedd, 8 modfedd)**
Pwysau: **68kg (10 stôn, 7 pwys)**
Camp: **400m**

LLWYDDAINT OLYMPAIDD
PARIS 1924: MEDAL AUR A MEDAL EFYDD

Enw: **Harold Abrahams**
Dyddiad geni: **15 Rhagfyr 1899**
Man geni: **Bedford, Lloegr**
Dyddiad marw: **14 Ionawr 1978**
Taldra: **1.83m (6 troedfedd)**
Pwysau: **75kg (11 stôn, 8 pwys)**
Camp: **100m**

LLWYDDAINT OLYMPAIDD
PARIS 1924: MEDAL AUR A MEDAL ARIAN

Delwedd allan o'r ffilm *Chariots of Fire* 1981

Ben Spock

PARIS 1924

Enw: **Benjamin McLane Spock**
Dyddiad geni: **2 Mai 1903**
Man geni: **New Haven, Connecticut, UDA**
Dyddiad marw: **15 Mawrth 1998**
Taldra: **1.96m (6 troedfedd, 5 modfedd)**
Camp: **Rhwyfo**

LLWYDDIANT OLYMPAIDD
PARIS 1924: MEDAL AUR

Dr. Benmamin Spock yn dal ati i rwyfo flynyddoedd lawer wedi iddo enill y fedal aur yn y gamp yn 1924

ASTUDIODD BEN SPOCK YN DDIWYD YM MHRIFYSGOLION Yale a Columbia yn y 1920au yn ogystal â threulio amser yn ymarfer ei dechneg rhwyfo ar gyfer Gêmau Olympaidd Paris 1924. Bu'n brysurach fyth wedi hynny yn ysgrifennu'r gyfrol enwog *The Common Sense Book of Baby and Child Care* a werthodd hanner can miliwn o gopïau ac a gyfeithiwyd i ddeugain o ieithoedd. Fel yr awgryma teitl y gyfrol, roedd synnwyr cyffredin yn sail i athroniaeth Spock; cael rhieni i drin babanod a phlant fel unigolion. Roedd ei neges i'w ddarllenwyr yn glir:

'Chi'n gwybod mwy nag 'ych chi'n ei gredu.'

Roedd Ben Spock, cwlffyn cyhyrog 6 troedfedd, 5 modfedd, yn aelod o dîm rhwyfo wyth yr Unol Daleithiau a gipiodd y fedal aur ym Mharis yn 1924. Fe orffennon nhw ryw 15 eiliad o flaen tîm Canada, a ddaeth yn ail.

Roedd rhwyfwr arall, sef Bill Havens, wedi ei ddewis yn aelod o'r criw gwreiddiol, ond gwrthododd hwnnw deithio i Baris gyda gweddill y tîm gan fod ei wraig ar fin rhoi genedigaeth i faban bach. Fe anwyd Frank Havens bum diwrnod ar ôl y Gêmau. Wyth mlynedd ar hugain yn ddiweddarach aeth Frank Havens ymlaen i ennill medal aur yn y ras senglau mewn canŵ dros 10,000m yng Ngêmau Olympaidd Helsinki 1952!

Tîm rhwyfo UDA, yn cynnwys Ben Spock, a enillodd y fedal aur

Poster swyddogol Gêmau Olympaidd Paris 1924

Stanley Leigh

PARIS 1924

MAE YNA BRON I 90 MLYNEDD ERS I STANLEY Leigh gynrychioli tîm gymnasteg Prydain yng Ngêmau Olympaidd Paris 1924. Hyd yn oed heddiw yng Ngorllewin Cymru, caiff ei gydnabod yn feistr yn y gamp. Llwyddodd tîm gymnasteg Prydain i ddod yn chweched yn y gystadleuaeth ym Mharis gyda Stanley'n disgleirio.

Un noson, ar ôl ei lwyddiant yn y Gêmau, fe aeth Stanley Leigh gyda grŵp o ffrindiau i weld syrcas yn Abertawe. Cafodd ei hudo gan gampau criw o acrobatiaid o Hwngari oedd wrthi'n perfformio symudiadau celfydd ar gyfres o farrau llorwedd. Drannoeth, aeth yn ei ôl i wersyll y perfformwyr ar Heol y Mwmbwls a gofyn am ganiatâd i ymuno yn yr ymarfer. Gwyliodd yr acrobatwyr tramor y Cymro'n perfformio cyfresi o symudiadau celfydd yn cynnwys sawl *routine* nad oedden nhw erioed wedi'u gweld o'r blaen. Cynigiwyd cytundeb i Stanley yn y fan a'r lle a dros gyfnod o flynyddoedd profodd ei hun yn berfformiwr proffesiynol dibynadwy yn ogystal â bod yn atyniad hollbwysig i'r syrcas.

Enw: **Stanley Leigh**
Dyddiad geni: **27 Rhagfyr 1901**
Man geni: **Abertawe, Cymru**
Dyddiad marw: **Mehefin 1986**
Camp: **Gymnasteg**

Amsterdam

1928

CERRIG MILLTIR

- Am y tro cyntaf yn hanes y Gêmau, trefnwyd i'r cystadleuwyr herio'i gilydd yng nghysgod y fflam Olympaidd.

- Am y tro cyntaf, gofynnwyd i'r cystadleuwyr orymdeithio o flaen y dorf mewn seremoni agoriadol.

- Am y tro cyntaf, penderfynodd y Pwyllgor Olympaidd wahodd merched i gystadlu am fedalau mewn athletau yn y stadiwm ac mewn gymnasteg yn y gampfa, er gwaethaf cryn anniddigrwydd.

- Am y tro cyntaf yn hanes y Gêmau fe lwyddodd y marchog Frantisek Ventura o Tsiecoslofacia, a'i geffyl Eliot, i gwblhau rownd glir yn y gystadleuaeth neidio ceffylau. Hyd heddiw, dim ond dau farchog arall sydd wedi ailadrodd y gamp sef Alwin Schockemöle o Orllewin yr Almaen ar gefn Warwick Rex, Munich 1976, a Ludger Berbaum o'r Almaen ar gefn Classic Touch, Barcelona 1992.

Cystadleuwyr yn ras yr 800m i ferched yng Ngêmau Olympaidd Amsterdam 1928

Johnny Weissmuller yn chwarae rhan *Tarzan* ar y sgrîn fawr

Johnny Weissmuller neu *Tarzan*!

PARIS 1924
AMSTERDAM 1928

YN YSTOD EI YRFA LEWYRCHUS, ENILLODD Y NOFIWR anhygoel Johnny Weissmuller bum medal aur Olympaidd a chwalodd 67 record byd yn y pwll nofio, cyn datblygu i fod yn actor penigamp a chymeryd rhan y cymeriad Tarzan mewn deuddeg ffilm yn y 1930au. Cymaint oedd ei boblogrwydd ar y sgrîn fawr fel y gosodwyd seren i'w anfarwoli ar y *Walk of Fame* yn Hollywood.

Er iddo gael ei eni yn Rwmania, ymfudodd gyda'i deulu i'r Unol Daleithiau yn 1904 pan oedd yn fachgen ifanc saith mis oed. Glöwr oedd ei dad yn nhalaith Pennsylvania, ond symud i Chicago wnaeth y teulu, ac yno treuliodd Johnny oriau'n nofio yn Llyn Michigan gyda Chlwb Athletig Illinois. Weissmuller oedd y cyntaf erioed i nofio 100m mewn llai na munud ac fe barodd ei record o 57.4 eiliad am ddegawd.

Roedd Weissmuller yn gymeriad annwyl a phoblogaidd a'i giamocs cyn cystadlaethau'n chwedlonol. Yn aml, fe fyddai'n difyrru'r torfeydd drwy blymio mewn dull clown i'r pwll neu weithiau'n sgwrsio â grŵp o ferched tra oedd y cystadleuwyr eraill yn barod i ddechrau ras. Roedd e'n hynod o dalentog o ran steil a'r pellter roedd e'n nofio. Hyd yn oed heddiw, mae'n cael ei gydnabod yn arloeswr o ran y dull rhydd o nofio.

Ond i lawer, mae ei lwyddiant ar y sgrîn fawr lawn mor bwysig â'i lwyddiant yn y pwll nofio. Laniswyd ei yrfa fel actor pan chwaraeodd rôl *Adonis* yn gwisgo ond yr un ddeilen ffigys mewn ffilm i Paramount yn 1929. Ond fel cymeriad *Tarzan* y cofir orau amdano.

Johnny Weissmuller yn ennill un o'i bum medal aur

Enw: **Johnny Weissmuller**
Llysenw: ***Tarzan***
Dyddiad geni: **2 Mehefin 1904**
Dyddiad marw: **20 Ionawr 1984**
Man geni: **Freidorf, Romania**
Taldra: **1.91m (6 troedfedd, 3 modfedd)**
Pwysau: **83kg (13 stôn)**
Camp: **Nofio**

LLWYDDIANT OLYMPAIDD
PARIS 1924: 3 MEDAL AUR
AMSTERDAM 1928: 2 FEDAL AUR

Elizabeth 'Betty' Robinson

Betty Robinson, yn dilyn ei damwain awyren erchyll yn ymarfer ar drac ar ben to yn Efrog Newydd yn 1934

Enw: **Elizabeth Robinson**
Dyddiad geni: **23 Awst 1911**
Dyddiad marw: **18 Mai 1999**
Man geni: **Riverdale, Illinois, UDA**
Taldra: **1.67m (5 troedfedd, 6 modfedd)**
Pwysau: **57kg (9 stôn)**
Camp: **Rhedeg 100m**

LLWYDDIANT OLYMPAIDD
AMSTERDAM 1928: MEDAL AUR A MEDAL ARIAN
BERLIN 1936: MEDAL AUR

AMSTERDAN 1928
BERLIN 1936

MAE RHYWFAINT O STORI DYLWYTH TEG YN PERTHYN i hanes yr Americanes Elizabeth 'Betty' Robinson. Roedd hi'n redwraig wrth reddf ac o fewn dim, ar ôl rhywfaint o hyfforddiant ac yn ei ras 100m gyntaf, fe orffennodd y ferch ddibrofiad nad oedd neb yn gwybod fawr o'i hanes cyn hynny, yn ail i redwraig orau'r Unol Daleithiau. Yn ei hail ras dros yr un pellter lai na phedwar mis wedyn, daeth yn gyfartal â record y byd!

Yng Ngêmau Olympaidd Amsterdam 1928, cafodd merched gystadlu am y tro cyntaf. Y wraig gyntaf i gipio medal aur ar y trac a hynny yn ras y 100m oedd Betty Robinson, mewn amser o 12.2 eiliad, oedd yn gyfartal â record y byd. Aeth ymlaen hefyd i gipio medal arian yn ras gyfnewid y 4 x 100m.

Ond, yn 1931, cafodd Betty ei hanafu'n ddifrifol mewn damwain awyren yn yr Unol Daleithiau. Daeth ei gŵr o hyd iddi ynghanol gweddillion yr awyren, a chan gredu ei bod wedi marw, gyrrodd hi yng nghist ei gar i'r parlwr angladdau lleol. Ar unwaith, sylweddolodd y trefnwr angladdau ei bod hi'n dal yn fyw. Bu'n anymwybodol am saith wythnos, ond doedd Betty ddim yn un i ildio. Am ddwy flynedd wedi'r ddamwain, roedd yn cael trafferth i aros ar ei thraed heb sôn am gerdded ar ei phen ei hun. Oherwydd hyn, methodd â chystadlu yng Ngêmau Olympaidd Los Angeles 1932.

Er mawr syndod i bawb, dechreuodd Betty Robinson ymarfer o ddifrif ar gyfer Gêmau Olympaidd Berlin 1936. Er bod plygu'i phen-glin i ddechrau ras yn y blociau'n gwbl amhosibl iddi, penderfynodd ganolbwyntio'n llwyr ar ras gyfnewid y 4 x 100m. Ac yn wir, yn y ras honno yn ninas Berlin, llwyddodd i ennill ail fedal aur fel aelod o dîm cyfnewid 100m yr Unol Daleithiau!

Llun o'r pentref Olympaidd cyntaf i gael ei adeiladu ar gyfer Gêmau Olympaidd Los Angeles 1932

Los Angeles 1932

Enw: **Eleanor G. Holm**
Dyddiad geni: **6 Rhagfyr 1913**
Dyddiad marw: **31 Ionawr 2004**
Man geni: **Brooklyn, Efrog Newydd, UDA**
Camp: **Nofio100m dull cefn**

LLWYDDIANT OLYMPAIDD
LOS ANGELES 1932: MEDAL AUR

Eleanor Holm

LOS ANGELES 1932
BERLIN 1936

Eleanor Holm gyda Bonny Mealing o Awstralia yng Ngêmau Olympaidd Los Angeles 1932, lle torrodd hi record y byd ar gyfer ras y 100m dull cefn mewn amser o 1 funud 18.3 eiliad

DDECHRAU'R 1930AU, ELEANOR HOLM OEDD UN o nofwyr gorau'r byd. Fe lwyddodd hi i chwalu 6 record byd a chipio 29 o bencampwriaethau dull cefn yn yr Unol Daleithiau. Llwyddodd hefyd i ennill y fedal aur yn ras y 100m dull cefn yng Ngêmau Olympaidd Los Angeles 1932. Ond nid am hynny'n unig yr oedd hi'n enwog, oherwydd roedd ei phrydferthwch urddasol yn apelio'n fawr at gwmnïau ffilm MGM, Warner Bros a Paramount.

Roedd Eleanor yn dipyn o gymeriad. Ar ôl priodi a mynd i weithio yng nghlwb nos y Coconut Grove, penderfynodd rhyw fis cyn treialon Gêmau Olympaidd Berlin 1936 y byddai'n canolbwyntio'n llwyr ar ei nofio unwaith eto. Er iddi gael ei dewis i'r tîm, cafodd ei diarddel cyn hyd yn oed cyrraedd yr Almaen. Tra'n teithio draw i'r Gêmau ar gwch o'r Unol Daleithiau, bu'n mwynhau ei hun ychydig bach yn ormod gyda'r nos. Ar un noson arbennig, gwrthododd wrando ar orchymyn i fynd i'r gwely a chafodd ei diarddel o'i chystadleuaeth gan reolwr tîm yr Unol Daleithiau, Avery Brundage, er mawr siom i'w chyd-gystadleuwyr.

Er yn hynod siomedig, cafodd Holm gytundeb gan asiantaeth newyddion i fod yn ohebydd chwaraeon yn ystod Gêmau Berlin. Cafodd gyfle hefyd i fynd i rai o bartïon mwyaf y ddinas, lle roedd enwogion fel Hitler, Goring a Goebbels yn dotio ar ei chwmni.

Enillwyd y ras nofio 100m dull cefn yng Ngêmau Olympaidd Berlin gan Nida Sneff o'r Iseldiroedd. Ond, dychwelodd Holm i'r Unol Daleithiau yn dipyn o arwres gan fod y rhan fwyaf o bobl yn anfodlon â'r driniaeth a dderbyniodd.

Tîm nofio merched Prydain yng ngorsaf drenau Waterloo cyn gadael am y Gêmau Olympaidd yn Los Angeles – Valerie Davies, y bedwaredd o'r dde

Enw: **Elizabeth Valerie Davies**
Dyddiad geni: **29 Mehefin 1912**
Dyddiad marw: **Awst 2001**
Man geni: **Caerdydd, Cymru**
Camp: **Nofio 100m dull cefn**

LLWYDDIANT OLYMPAIDD
LOS ANGELES 1932: 2 FEDAL EFYDD

Valerie Davies

LOS ANGELES 1932

DAETH TEULU VALERIE DAVIES YN ymwybodol o'i thalent pan oedd yn ferch ifanc pump oed, wrth nofio gyda phlant eraill yr un oed â hi yn rhai o byllau padlo Caerdydd. Yn ystod y 1920au, doedd dim pwll nofio dan do yng Nghaerdydd felly er mwyn datblygu ei sgiliau a derbyn hyfforddiant pellach, bu'r teulu'n teithio'n gyson ar y trên i Lundain i ymarfer yn ystod y gaeaf. O fewn rhai blynyddoedd, Valerie Davies oedd y nofwraig orau ym Mhrydain.

Cafodd Valerie ei dewis yn aelod o dîm Prydain ar gyfer Gêmau Olympaidd Los Angeles 1932 ar ôl perfformiadau llwyddiannus ym Mhencampwriaeth Ewrop yn Bologna, yr Eidal, yn 1927 ac yng Ngêmau'r Gymanwlad yn Hamilton, Canada yn 1930.

Bu'r daith i Los Angeles yn un hir – mordaith ar draws Môr Iwerydd ac yna trên o ddinas Efrog Newydd i Los Angeles. Roedd tîm Prydain yno ryw dair wythnos cyn y cystadlu, ond yn wahanol i gystadleuwyr heddiw, doedd dim hawl ymarfer yn unman cyn y diwrnod mawr. Ond, daeth llwyddiant mawr i Valerie pan gipiodd y fedal efydd yn ras y 100m dull cefn. Daeth ail fedal efydd iddi hefyd yn ras gyfnewid y 4 x 100m, a hynny ar adeg pan nad oedd merched yn amlwg iawn ym myd y campau.

Hugh Edwards

LOS ANGELES 1932

ER MAI YN LLOEGR Y GANWYD HUGH 'JUMBO' Edwards roedd ei rieni'n Gymry Cymraeg a'i dad yn ficer. Ystyriai ei hun yn Gymro o'i gorun i'w sawdl. Cafodd ei addysg yn Ysgol Westminster lle roedd yna draddodiad cryf o weithgareddau awyr agored, yn enwedig rhwyfo, gan fod yr afon Tafwys gerllaw. Datblygodd ei allu fel rhwyfwr ym Mhrifysgol Rhydychen yn ogystal â Chlwb Rhwyfo Henley lle manteisiodd ar gyngor rhai o fawrion y gamp.

Diwrnod mawr i Jumbo Edwards oedd y 13 Awst 1932 pan gipiodd ddwy fedal aur yng Ngêmau Olympaidd Los Angeles a hynny ar yr un diwrnod – y gyntaf yn ras y parau heb lywiwr a'r ail yn y ras i'r pedwarawdau heb lywiwr. Yn cystadlu gyda Jumbo yn ras y parau oedd y Llundeiniwr Lewis Clive a fu farw yn Rhyfel Cartref Sbaen yn 1938 ac yntau ond yn 27 mlwydd oed. Digon annisgwyl oedd yr ail fedal pan ofynnwyd i Jumbo lenwi bwlch ar y funud olaf.

Ymunodd â'r Awyrlu adeg yr Ail Ryfel Byd ac ar un achlysur, yn dilyn damwain awyr, bu'n rhaid iddo rwyfo mewn dingi am 4 milltir o gwmpas môr yn llawn ffrwydron. Jumbo oedd yr unig un i oroesi.

Roedd cyfraniad Jumbo Edwards i'r gamp yn amhrisiadwy gan iddo ddatblygu'n hyfforddwr craff a gwybodus yn y 1950au a'r 1960au. Fe oedd yn gyfrifol am hyfforddi tîm rhwyfo wyth Prydain yng Ngêmau Olympaidd Rhufain 1960. Un o uchafbwyntiau'i yrfa oedd hyfforddi tîm rhwyfo Cymru ym Mabolgampau'r Ymerodraeth a'r Gymanwlad yn Perth, Awstralia yn 1962. Roedd dau o feibion Jumbo'n aelodau o'r tîm a gipiodd y fedal arian.

Hugh 'Jumbo' Edwards yn ei ddyddiau fel hyfforddwr rhwyfo amlwg

Enw: **Hugh Robert Arthur Edwards**
Llysenw: **Jumbo Edwards**
Dyddiad geni: **17 Tachwedd 1906**
Man geni: **Woodstock, Swydd Rhydychen, Lloegr**
Dyddiad marw: **21 Rhagfyr 1972**
Camp**: Rhwyfo**

LLWYDDIANT OLYMPAIDD
LOS ANGELES 1932: 2 FEDAL AUR

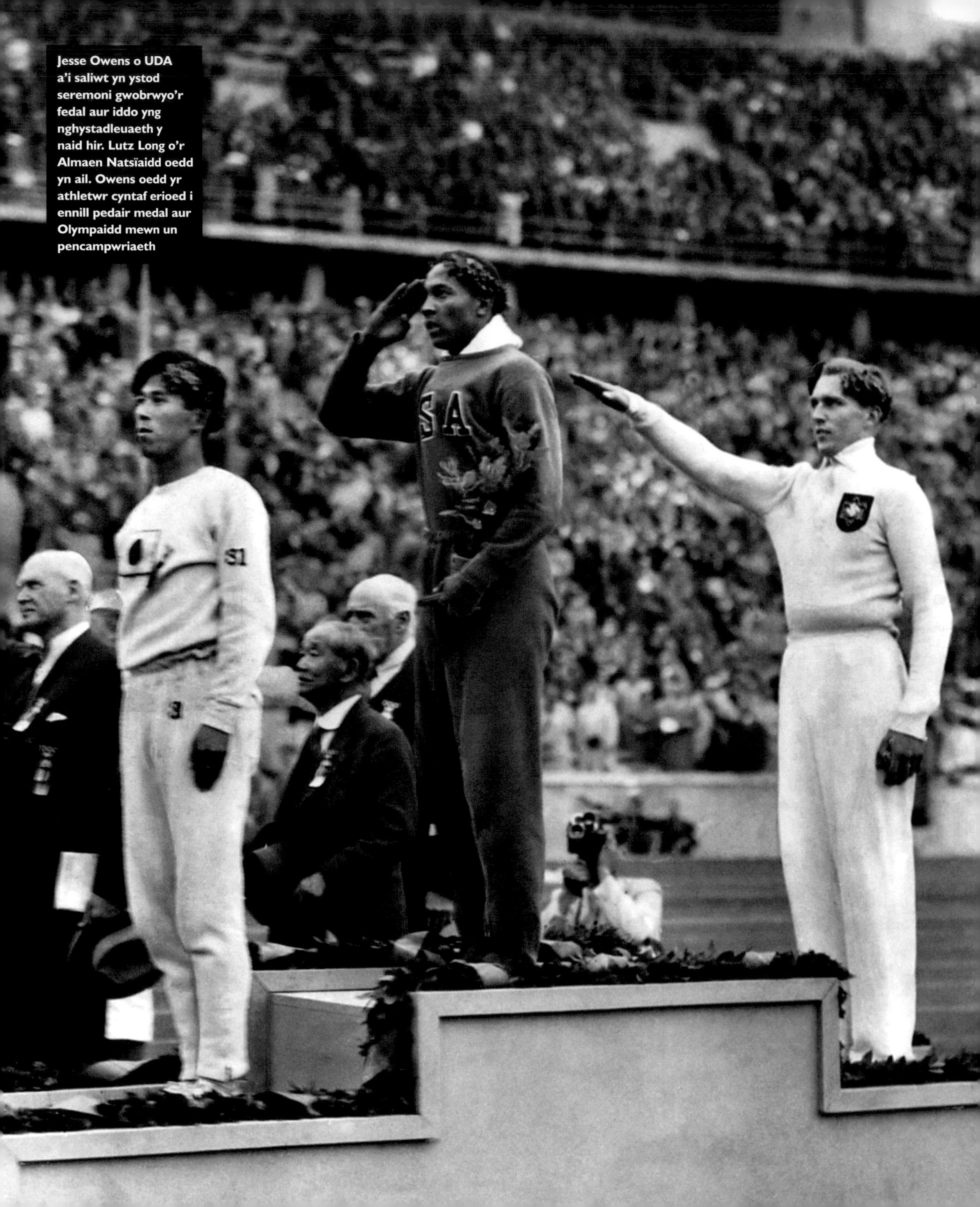

Jesse Owens o UDA a'i saliwt yn ystod seremoni gwobrwyo'r fedal aur iddo yng nghystadleuaeth y naid hir. Lutz Long o'r Almaen Natsïaidd oedd yn ail. Owens oedd yr athletwr cyntaf erioed i ennill pedair medal aur Olympaidd mewn un pencampwriaeth

Berlin

Hitler a dau o'i swyddogion ar ymweliad â Phentref Olympaidd Berlin

1936

Cynhaliwyd Gêmau Olympaidd 1936 yn Garmisch-Partenkirchen a Berlin yn yr Almaen. Ond, roedd dadlau mawr ledled y byd ynglŷn â chynnal y Gêmau Olympaidd yno oherwydd mai Hitler a'r Natsïaid oedd yn rheoli'r wlad erbyn hynny, ac roedd eu syniadau nhw'n ddadleuol a dweud y lleiaf.

Yn gyson yn ystod y cyfnod paratoi ar gyfer y Gêmau, bu'n rhaid atgoffa Hitler o ethos ac athroniaeth y Mudiad Olympaidd. Doedd pethau ddim yn argoeli'n dda. Ar ôl cytuno'n wreiddiol i gynnwys Iddewon yn nhîm yr Almaen, torri'i air wnaeth Hitler. Dangoswyd agwedd y Natsïaid at Iddewon yn glir iawn gan arwydd a osodwyd tu allan i'r tai bach yn Garmisch-Partenkirchen adeg Gêmau'r gaeaf, sef '*Dim Cwn Nac Iddewon.*'

I Hitler, Goebbels, Göring a'r gweddill, roedd cynnal y Gêmau Olympaidd yn yr Almaen yn gyfle gwych i ledu propaganda am syniadau'r Natsïaid. Roedden nhw eisoes wedi diarddel clybiau chwaraeon y Catholigion a'r Iddewon yn y wlad cyn y Gêmau. Golygai hyn nad oedd hi'n bosibl i rai o athletwyr gorau'r Almaen

gynrychioli'u gwlad yn y Gêmau, yn cynnwys yr Iddewes Gretel Bergmann a oedd yn bencampwraig yn y naid uchel, gan nad oedden nhw'n perthyn i glwb athletau swyddogol.

Roedd Hitler wedi derbyn cyfarwyddiadau pendant ynglŷn â'i rôl ef yn y seremonïau Olympaidd.
'Mae codi'r faner Olympaidd yn golygu ein bod ni yn Olympia, nid yn yr Almaen!'
Doedd dim dewis ganddo felly ond ufuddhau. Yn y seremoni agoriadol, dim ond pum gair gafodd e i'w hyngan:
'Mae'r Gêmau Olympaidd yn agored.'

Ond roedd y seremoni agoriadaol yn debycach i adeg coroni brenin na gŵyl i'r campau. Gwasgwyd dros 100,000 o bobl i mewn i'r stadiwm ac roedd hi'n bosibl clywed y ffanffer i groesawu 4,000 o gystadleuwyr o 49 o wledydd filltiroedd lawer i ffwrdd. Cytunwyd i gyfarch Hitler, y Führer drwy godi braich dde a datgan '*Heil!*', ond gwrthododd nifer o wledydd, gan gynnwys Prydain, gydymffurfio.

Er gwaethaf ymdrechion Hitler a'i griw i bwysleisio goruchafiaeth y gwynion Almaenig, o fewn diwrnodau, daeth y byd cyfan i adnabod Gêmau Olympaidd Berlin fel Gêmau Jesse Owens.

Jesse Owens

BERLIN 1936

BWRIAD ADOLF HITLER YNG NGÊMAU OLYMPAIDD Berlin yn 1936 oedd hybu a datblygu'i weledigaeth hiliol. Chwalwyd y freuddwyd pan lwyddodd gŵr tawel, du ei groen o dalaith Alabama yn yr Unol Daleithiau i hawlio'r penawdau drwy gipio 4 medal aur a chreu cynnwrf a chyffro yn y Stadiwm Olympaidd. Flwyddyn cyn Gêmau Olympaidd Berlin, llwyddodd Owens i dorri 5 record byd (a dod yn gyfartal ag un arall) mewn un prynhawn bythgofiadwy yn Ann Arbor, Michigan tra'n cynrychioli Prifysgol Ohio State ym mhencampwriaethau'r Big Ten. Disgrifiwyd y perfformiadau fel rhai syfrdanol. Roedd hwn yn wir bencampwr ac yn cael ei ddisgrifio fel seren cyn i'r Gêmau ddechrau yn ninas Berlin!

Roedd Owens yn 22 mlwydd oed, yn fab i denant oedd yn gorfod rhannu'i gynnyrch â pherchen y tir, ac yn ŵyr i gaethweision. Yn ninas Berlin byddai'n cystadlu mewn awyrgylch fygythiol. Roedd Adolf Hitler yn anfodlon â llwyddiannau Owens ac am weld y duon yn cael eu gwahardd o'r Gêmau. Serch hynny, derbyniodd yr athletwr groeso gan y mwyafrif llethol o bobl oedd yn gwerthfawrogi dawn ac athrylith.

Ras y 100m oedd prif ffocws Jesse Owens, ac ar 3 Awst 1936 gwireddwyd ei freuddwyd pan enillodd y ras mewn 10.3 eiliad. Doedd Owens yn gofidio dim am yr amser; y fedal aur oedd yn bwysig iddo. Ddeuddydd yn ddiwerddarach cipiodd y fedal aur yn ras y 200m gan chwalu'i wrthwynebwyr. Ychwanegodd fedal aur arall yn y ras gyfnewid dros 100m.

Ar 4 Awst daeth medal aur arall i Jesse Owens yng nghystadleuaeth y naid hir. Roedd mawrion y Trydydd Reich, sef Hitler, Goebbels, Goering, Hess a Himmler yn bresennol yn yr eisteddle y diwrnod hwnnw. Yn dilyn dwy naid aflwyddiannus, synhwyrodd y dorf fod yna elfen o banic ar wyneb Owens. Tawelwyd

Jesse Owens yn awchu i gyrraedd y brig ar ddechrau ras y 200m

Tudalen chwith:
Chwith: Hitler a'i swyddogion;
Dde: Stadiwm Olympaidd Berlin yn ystod y Gêmau

Jesse Owens yn croesi'r llinell derfyn i gipio'r fedal aur

pawb pan aeth yr Almaenwr Luz Long, gyda'i lygaid glas a'i wallt golau, draw at Owens i gynnig gair o gyngor iddo. Awgrymodd Long fod angen i Owens ymestyn ei rediad neidio yn bellach nôl o'r bwrdd er mwyn cwblhau naid gyfreithlon. Ufuddhau wnaeth Owens a mynd yn ei flaen i ennill y gystadleuaeth gyda naid o 8.06m. Luz Long, oedd y cyntaf i longyfarch Jesse, ac yntau'n ail anrhydeddus. Meddai'r pencampwr yn ddiweddarach:

'Mae'r cyfeillgarwch 24 carat rwy'n ei deimlo at Luz ar hyn o bryd yn werth mwy na fy holl fedalau a chwpanau gyda'i gilydd.'

Ac mae'r cyfeillgarwch rhwng teuluoedd Jesse Owens a Luz Long yn parhau hyd heddiw.

Enw: **James Cleveland 'Jesse' Owens**
Dyddiad geni: **12 Medi 1913**
Man geni: **Oakville, Alabama, UDA**
Dyddiad marw: **31 Mawrth 1980**
Taldra: **1.77m (5 troedfedd, 9 modfedd)**
Pwysau: **11 stôn 7 pwys**
Camp: **Rhedeg a'r naid hir**

LLWYDDIANT OLYMPAIDD
BERLIN 1936: 4 MEDAL AUR

Llundain

1948

Arglwydd Faer Llundain yn codi'r Faner Olympaidd yn ystod seremoni agoriadol Gêmau 1948 yn Wembley

Fanny Blankers-Koen yn ennill ras yr 80m dros y clwydi, drwch blewyn o flaen Maureen Gardner o Brydain, gan sefydlu record byd a record Olympaidd newydd o 11.2 eiliad

Enw: **Francina 'Fanny' Elsje Blankers-Koen**
Llysenw: ***The Flying Housewife***
Dyddiad geni: **26 Ebrill 1918**
Man geni: **Baarn, Utrecht, yr Iseldiroedd**
Dyddiad marw: **25 Ionawr 2004**
Taldra: **1.75m (5 troedfedd, 9 modfedd)**
Pwysau: **63kg (10 stôn)**
Camp: **Rhedeg a neidio dros y clwydi**

LLWYDDIANT OLYMPAIDD
LLUNDAIN 1948: 4 MEDAL AUR

Fanny Blankers-Koen a Maureen Gardner benben â'i gilydd yn yr un ras

Fanny Blankers-Koen

LLUNDAIN 1948

MAE FANNY BLANKERS-KOEN YN CAEL EI CHYDNABOD fel un o wir bencampwyr y Gêmau Olympaidd. Heb os, y ferch fferm a'r fam i ddau o blant o'r Iseldiroedd oedd seren Gêmau Olympaidd Llundain yn 1948.
Er bod merched yr Iseldiroedd wedi ennill yr hawl i bleidleisio yn 1920, araf oedd y wlad, fel pob gwlad arall, i gynnig cyfleoedd pellach i ferched, yn cynnwys byd chwaraeon. Roedd hyd yn oed gŵr a hyfforddwr Fanny, y neidiwr triphlyg Jan Blankers, yn anfodlon gweld merched yn cymryd rhan ym myd athletau. Ond, fel sawl un arall, fe ddaeth Jan i sylweddoli bod ei wraig yn hynod dalentog a'i bod yn haeddu cyfle i berfformio ar y lefel uchaf. Ar ôl iddi gystadlu'n aflwyddiannus yn y naid uchel a'r ras gyfnewid yng Ngêmau Berlin yn 1936, a hithau'n ddim ond yn 18 oed, dechreuodd symud i gyfeiriad gwibio a neidio dros y clwydi.

Priododd Fanny â Jan Blankers ar ddechrau'r Ail Ryfel Byd. Ar ôl cael dau o blant, penderfynodd ganolbwyntio'n llwyr ar redeg. A Gêmau Llundain ar y gorwel, teimlai llawer fod Fanny'n rhy hen i lwyddo, er nad oedd hi ond 30 oed! Ond, mewn 11 ras dros ddau ddiwrnod ar bymtheg, sgubodd ei gwrthwynebwyr o'r ffordd. Enillodd ras y 100m mewn amser o 11.9 eiliad a'r 200m mewn 24.4 eiliad. Pan groesodd hi'r llinell derfyn yn y ras 80m dros y clwydi mewn 11.2 eiliad, dechreuodd y seindorf chwarae *God Save the King*. Credai Fanny felly mai Maureen Gardner o Brydain oedd wedi ennill tan iddi sylweddoli bod y Brenin Siôr VI a'i osgordd newydd gyrraedd y stadiwm.

I goroni ei pherfformiadau yn Llundain, enillodd tîm yr Iseldiroedd y ras gyfnewid dros 100m. Dychwelodd adref yn arwres a chafodd ei chludo o'r orsaf drenau leol mewn coets brenhinol!

Top: Fanny Blankers-Koen yn croesi'r llinell derfyn i ennill ras y 4 x 100m gan gipio'r olaf o'i phedair medal aur. Dde: Seremoni wobrwyo ras yr 80m dros y clwydi i ferched

CV JOSÉ BEYAERT

* Masnachwr arfau ar ran La Résistance Française a'r Maquis adeg yr Ail Ryfel Byd
* Mabolgampwr gymnastaidd
* Athletwr
* Bocsiwr heb ei ail
* Seiclwr Olympaidd
* Cystadleuydd yn y Tour de France
* Arloeswr
* Cloddiwr emralltau yng Ngh

olombia
* Tyfwr a chwympwr coed balsa yng nghoedwigoedd yr Amazon
* Cyd-berchen Chez Louisette – tŷ bwyta cordon bleu yn ninas Bogotá
* Smyglwr
* Merchetwr
* Lladdwr cyflogedig (mae awdur ei gofiant yn lled-awgrymu hynny)
* Ffrind i nifer o fawrion y diwydiant cyffuriau yn Ne America gan gynnwys Charlot Fioconni, Jean-Claude Kella a'r brodyr Escobar
* Natur ffein
* Cymeriad diymhongar

Enw: **José Beyaert**
Dyddiad geni: **1 Hydref 1925**
Man geni: **Lens, Pas-de-Calais, Ffrainc**
Dyddiad marw: **11 Mehefin 2005**
Camp: **Beicio**

LLWYDDIANT OLYMPAIDD:
LLUNDAIN 1948: MEDAL AUR A MEDAL EFYDD

José Beyaert

LLUNDAIN 1948

DYNA I CHI GYMERIAD OEDD Y BEICIWR OLYMPAIDD O DRAS FFLEMAIDD, JOSÉ BEYAERT.

Yn ystod ei arddegau roedd José mewn penbleth ynglŷn â'i ddyfodol gan ei fod yn hynod alluog mewn sawl camp. Fel beiciwr, câi ei ddisgrifio fel tipyn o *Scarlet Pimpernel* – roedd pawb yn gwybod ei fod e yno, ond byth yn ei weld e! Roedd e'n gyson ei gyflymdra ar dir gwastad, yn dal ei dir ar y llethrau serth ac yn eithriadol gyflym ar ddiwedd pob ras. Pan ddaeth hi'n amser dewis y garfan o chwe beiciwr a fyddai'n cynrychioli Ffrainc yng Ngêmau Olympaidd Llundain, roedd enw José ar y rhestr. A dweud y gwir, roedd hi'n anochel y byddai'r hyfforddwr, Georges Speicher, yn ei gynnwys yn y garfan.

Cynhaliwyd ras feicio Gêmau Olympaidd Llundain ym Mharc Windsor, gan fod y Brenin Siôr VI mor awyddus i gynnal y gystadleuaeth yn ei ardd gefn, fel petai. Doedd y penderfyniad ddim yn plesio pawb gan mai ond 16 troedfedd oedd lled yr heol! Ar y Cyfandir, gan fod y gamp mor boblogaidd, byddai'r awdurdodau'n cau'r heolydd cyhoeddus. Ond doedd hyn ddim yn ystyriaeth yn Llundain. Ar gylchdaith anwastad o 7 milltir a 200 llath ddydd Gwener, 13 Awst 1948, sef diwrnod olaf y Gêmau, fe fyddai'n rhaid wynebu 17 cylchdaith er mwyn cwblhau 120 o filltiroedd. Gan mai Breakheart Hill oedd yr unig lethr serth, roedd pob un o'r cystadleuwyr yn teimlo'n ddigon hyderus. Ar ôl i Speicher lygadu'r cwrs, daeth i benderfyniad ynglŷn â'i dîm o bedwar – Moineau, Dupont, Rouffteau a Beyaert fyddai'n brwydro am fedalau ar ran Ffrainc. Noswyl y ras, cynigiodd tad un o'r eilyddion (oedd yn ŵr busnes ariannog) 10,000 o ffrancs i José am ildio'i le yn y tîm. Gwrthododd gan ddweud yn hyderus nad oedd gobaith gan ei fab i gyrraedd y terfyn beth bynnag!

Tri beiciwr yn ymladd am safleoedd yn ystod y ras

Roedd diwrnod y ras ei hun yn wyntog a gwlyb. Ychydig cyn hanner dydd, roedd Dug Caeredin yn barod i ddechrau'r ras. Henk Faanhof o'r Iseldiroedd oedd y ceffyl blaen ar y dechrau, gyda Nils Johansson a Gerrit Voorting o Sweden ac Orhan Suda o wlad Twrci yn dynn ar ei ôl. Roedd José yn gyfforddus ei fyd, yn pedlo'n gwbl ddiymdrech ac ynghanol criw o Eidalwyr.

Roedd cyflwr yr heol o gwmpas Parc Windsor yn drychinebus a sawl un, gan gynnwys Johansson a'r Ffrancwr Dupont, yn dioddef pyncjars. Ond roedd José yn feddyliwr craff. Ar un adeg, cyrhaeddodd y blaen drwy straffaglu a phoeri gwaed. Edrych arno a'i anwybyddu wnaeth y cystadleuwyr eraill gan gredu y byddai wedi lladd ei hun gyda'r ymdrech. A dyna oedd José am iddyn nhw ei feddwl. Â 2km yn weddill estynnodd am ei botel ddŵr. Gwnaeth dau neu dri arall yr un peth, ond taflu'i botel wnaeth y Ffrancwr ac ymosod â'i holl nerth. Â'i goesau'n mynd lan a lawr fel pistynnau agorodd bwlch rhyngddo â'r gweddill ac er i Voorting wneud ei orau glas i gau'r bwlch fe lwyddodd y gŵr o lannau'r Seine i groesi'r llinell derfyn o flaen ei wrthwynebwyr. Medal aur i José Beyaert a medal efydd i dîm Ffrainc!

Yn dilyn ei lwyddiant derbyniodd José wahoddiad i agor *velodrome* yn Bogotá, De America. Y bwriad oedd iddo aros yno am fis ond aeth rhyw hanner can mlynedd heibio cyn iddo ddychwelyd i Ffrainc yn barhaol. Roedd trigolion Colombia yn ei addoli oherwydd ei lwyddiant Olympaidd. Roedd hyd yn oed deillion Colombia'n gwybod yn iawn pwy oedd e gan ei fod e'n drewi o Brut a Brilliantine! I eraill, y sbectol Woody Allen oedd yn ei wneud yn hawdd i'w adnabod. Yn sicr, roedd e'n anturiaethwr heb ei ail – gŵr oedd am fyw ei fywyd ar ei delerau ei hun. Treuliodd rai blynyddoedd yn byw ar ynys San Andrés lle bu'n dilyn hynt a helynt y Cymro Syr Harri Morgan ... ond mae honno'n stori arall!

Harold Sakata

LLUNDAIN 1948

Harold Sakata yn llwyddo i gipio'r fedal arian yng nghystadleuaeth y codi pwysau

MAE'N SIŴR EICH BOD CHI I GYD YN GYFARWYDD â rhai o ffilmiau James Bond. Ond tybed a oeddech chi'n gwybod fod un o brif gymeriadau'r ffilm enwog *Goldfinger* yn arfer bod yn bencampwr Olympaidd? Oedd yn wir. A'i enw oedd Toshiyuki 'Harold' Sakata, neu *Oddjob*, o roi enw'i gymeriad *Bond* iddo. Fe oedd un o ddihirod y ffilm. Er nad oedd ganddo air i'w ddweud ynddi fel gwarchodwr cymeriad *Goldfinger*, llwyddodd i dorri pen oddi ar geflun drwy daflu ei het fowler, ac iddi rimyn rasel metal.

Daeth Sakata i'r amlwg yng Ngêmau Olympaidd Llundain 1948 pan gipiodd y fedal arian i'r Unol Daleithiau yn yr ornest codi pwysau drwy godi cyfanswm o 410kg.

Harold Sakata yn ymddangos fel *Oddjob* yn ffilm James Bond *Goldfinger*

Enw: **Harold Sakata**
Llysenw: **Tosh Togo neu *Oddjob***
Dyddiad geni: **1 Gorffennaf 1920**
Man geni: **Holualoa, Hawaii**
Dyddiad marw: **29 Gorffennaf 1982**
Taldra: **1.78m (5 troedfedd, 10 modfedd)**
Pwysau: **100kg (16 stôn)**
Camp: **Codi Pwysau Is Drwm**

LLWYDDIANT OLYMPAIDD:
LLUNDAIN 1948: MEDAL ARIAN

Ken Jones

Enw: **Kenneth Jeffrey Jones**
Dyddiad geni: **30 Rhagfyr 1921**
Dyddiad marw: **18 Ebrill 2006**
Man geni: **Blaenafon, Cymru**
Taldra: **1.8m (5 troedfedd, 11 modfedd)**
Pwysau: **78kg (12 stôn, 4 pwys)**
Camp**: Rhedeg 100m**

LLWYDDIANT OLYMPAIDD:
LLUNDAIN 1948: MEDAL ARIAN

LLUNDAIN 1948

ER MAI TÎM RAS GYFNEWID 100M YR UNOL Daleithau, sef Barney Ewell, Lorenzo Wright, Harrison Dillard a Mel Patton oedd y tîm gorau yng Ngêmau Olympaidd Llundain 1948, tîm Prydain gafodd y fedal aur ar ddiwedd y ras. Methodd yr Americanwyr â throsglwyddo'r baton o fewn y blwch felly cawsant eu diarddel. Oherwydd hyn, cafodd tîm Prydain, sef John Archer, John Gregory, Alastair McCorquodale a'r Cymro a'r chwaraewr rygbi rhyngwladol Ken Jones, fedalau aur.

'Mae tîm America wedi ei ddiarddel am dorri'r rheolau wrth drosgwlyddo'r baton. Felly Prydain Fawr sy'n ennill yr aur, yr Eidal yr arian a Hwngari'r efydd.'

Ond am ddrama! Ar ôl i'r awdurdodau Olympaidd brosesu ffilm o'r ras a gweld nad oedd dim o'i le ar berfformiad yr Americanwyr, cafodd canlyniad y ras ei newid eto. Felly, bu raid i Ken Jones a'i dîm ddychwelyd y medalau aur a chael medalau arian yn eu lle.

Yr hyn sy'n gwneud Ken Jones yn hynod yw iddo lwyddo i gyrraedd y brig mewn mwy nag un gamp. Enillodd 47 o gapiau rygbi rhyngwladol gan sgorio 19 cais, yn cynnwys yr un a seliodd y fuddugoliaeth yn erbyn Seland Newydd yn 1953, sef y tro diwethaf i Gymru ennill yn erbyn yr hen elyn.

Tom Richards o Brydain yn cyrraedd nôl i ennill y fedal arian

Tom Richards

LLUNDAIN 1948

MAE TOM RICHARDS WEDI CAEL EI DDISGRIFIO GAN amryw dros y blynyddoedd fel un o redwyr gorau Cymru erioed dros bellter. Dyma sut y disgrifiodd yr awdur a'r ysgolfeistr D. J. P. Richards ras y marathon yng Ngêmau Olympaidd Llundain 1948 y bu Tom Richards yn cystadlu ynddi:

'Anghofiaf byth ei ymdrech ryfeddol o ddewr yn y Marathon yn Chwaraeon Olympig Llundain yn 1948 – y ras enwocaf, caletaf, wytnaf yn y byd. Sôn am ddrama! Mae mwy o ddrama'n gysylltiedig â'r ras hon nag unrhyw ddigwyddiad arall yn hanes mabolgampau; mae dynion wedi marw ynddi a llawer mwy wedi cwympo'n ddiymadferth.'

Yn ras y marathon 1948, roedd Tom yn seithfed ar ôl 18 milltir, yn drydydd ar ôl 24 milltir – 11 eiliad y tu ôl i Delfo Cabrera o'r Ariannin a oedd ar y blaen. Ond Etienne Gailly o Wlad Belg oedd y cyntaf i redeg i'r trac yn Wembley. Ac nid rhedeg chwaith, ond llusgo'i hun yn boenus fel meddwyn a'i wyneb yn llwyd mewn llewyg, ac yn cadw ar ei draed trwy reddf yn unig. Am eiliadau hir bu tawelwch y bedd dros y stadiwm – gallech glywed rhaglen yn cael ei gwasgu'n belen gan ddwrn yn cau'n dynn o dosturi tuag at y Belgwr dewr. Tybed a fyddai'n llwyddo i gyrraedd y llinell derfyn cyn syrthio'n swp diymadferth?

Yna daeth Cabrera i'r golwg. Rhedodd ymlaen heibio i Gailly. Wedyn, eiliadau'n ddiweddarach, ffrwydrodd cyffro drwy'r dorf wrth groesawu Tom Richards yn annisgwyl i'r trac. Pasiodd yntau Gailly gan groesi'r llinell yn yr ail safle – 16 eiliad ar ôl Cabrera.

Dyma'r agosaf y daeth unrhyw Brydeiniwr erioed at ennill y ras greulon hon.

Enw: **Thomas John Henry Richards**
Dyddiad geni: **15 Mawrth 1910**
Man geni: **Cwmbrân, Cymru**
Dyddiad marw: **19 Ionawr 1985**
Camp**: Y marathon**

LLWYDDIANT OLYMPAIDD
LLUNDAIN 1948: MEDAL ARIAN

Syr Harry Llewellyn

LLUNDAIN 1948
HELSINKI 1952

Syr Harry Llewellyn ar gefn yr enwog Foxhunter

Enw: **Harry Morton Llewellyn**
Dyddiad geni: **18 Gorffennaf 1911**
Man geni: **Aberdâr, De Cymru**
Dyddiad marw: **15 Tachwedd 1999**
Camp: **Neidio ceffylau**

LLWYDDIANT OLYMPAIDD:
LLUNDAIN 1948: MEDAL ARIAN
HELSINKI 1952: MEDAL AUR

AM FLYNYDDOEDD LAWER ROEDD Y MARCHOG Syr Harry Llewellyn a'i geffyl talentog Foxhunter yn ffigurau amlwg ym myd neidio ceffylau. Ar ôl ennill medal arian yng Ngêmau Olympaidd Llundain, daeth cyfle arall i'r Cymro a'i geffyl gystadlu yn Helsinki yn 1952, fel rhan o dîm Prydain, gyda Wilf White ar gefn Nizefella a Duggie Stewart ar gefn Aharlow.

Roedd rowndiau cyntaf y gystadleuaeth yn Helsinki wedi bod yn siomedig i'r ddau aelod arall o dîm Prydain, a bu bron i Llewellyn ddisgyn oddi ar ei geffyl wedi chwalu sawl ffens. Doedd pethau ddim yn argoeli'n dda. Ond Foxhunter oedd y ceffyl mwyaf yn y gystadleuaeth ac roedd y ddealltwriaeth rhyngddo fe â Syr Harry'n arbennig o dda ar ôl pum mlynedd a mwy gyda'i gilydd. Felly, erbyn y rownd olaf, roedd angen canolbwyntio'n llawn ar y dasg er mwyn cael rownd glir. Ac yn wir, roedd Llewellyn a Foxhunter ar eu gorau ac wrth neidio dros y ffens olaf, roedd cymeradwyaeth y dorf bron â'u byddaru. Roedd yna fedalau aur i dîm Prydain Fawr!

Tîm Olympaidd Dynion Prydain yn paratoi i hedfan i Helsinki o faes awyr Bovingdon yn Swydd Herts

1952

Helsinki

Graham Harcourt

HELSINKI 1952

MAE HANES GRAHAM HARCOURT YN DIPYN O stori dylwyth teg. Ac yntau'n bedair ar ddeg oed ac yn frwd dros chwaraeon, derbyniodd ei deulu wahoddiad gan ffrindiau yn Llundain i ymweld â nhw adeg Gêmau Olympaidd 1948. Wedi cael cyfle i brofi llawer o chwaraeon yno, roedd hi'n amlwg mai gymnasteg oedd wedi mynd â bryd Graham. O fewn diwrnodau iddo ddychwelyd i Abertawe ymunodd â Chlwb yr YMCA yn y ddinas ac yn rhyfeddol, bedair blynedd yn ddiweddarach ac yntau'n ddim ond deunaw oed, teithiodd i Gêmau Olympaidd Helsinki 1952 yn aelod o dîm gymnasteg Prydain Fawr!

'*Sut mae'r plentyn yna yn y tîm?*' oedd sylw Alec Wales, un o'r gymnastwyr a fethodd â chyrraedd tîm Prydain o chwech yn ystod y prawf olaf yn Sunderland. Roedd hi'n amlwg fod blynyddoedd o hyfforddi caled, ac yntau ar yr un pryd yn dilyn prentisiaeth fel argraffydd ym musnes ei dad, wedi talu'i ffordd i Harcourt.

Graham Harcourt yn ymarfer yn galed ar gyfer y gystadleuaeth gymnasteg

Perfformiodd tîm Prydain yn gampus yn y Ffindir a'r bachgen ifanc o Sgeti yn hynod bles â'i berfformiad. Un o gyfrinachau Graham, yn ôl ei gyfoedion, oedd ei ddewrder. Rhaid cofio bod gymnasteg yn y cyfnod hwnnw dipyn yn wahanol i'r hyn a welir heddiw. Doedd yna ddim swyddogion iechyd a diogelwch o gwmpas neuaddau'n cadw golwg barcud ar gyflwr yr offer. Matiau coconyt cyntefig oedd ar gyfer y cystadleuwyr, nid y pyllau llawn ffôm a welir heddiw. Ond roedd Graham yn gwbl hyderus; fe oedd y cyntaf i fentro bob tro!

Er nad enillodd Graham Harcourt fedal yn ei gystadleuaeth, mae'n enghraifft o'r miloedd ar filoedd o gystadleuwyr aflwyddiannus hynny sy'n gallu dweud â balchder, 'Dw i wedi cystadlu yn y Gêmau Olympaidd.'

Enw: **Kenneth Graham Harcourt**
Dyddiad geni: **16 Ebrill 1934**
Man geni: **Abertawe, Cymru**
Camp: **Gymnasteg**

Emil Zátopek yn gwenu wrth groesi'r llinell i ennill ras y marathon mewn record Olympaidd newydd o 2 awr 3.4 eiliad

Emil Zátopek

ATHRYLITH A CHANDDO STEIL ARBENNIG WRTH REDEG! Er y byddai'n edrych fel petai mewn poen ofnadwy a'i ben yn rolio o ochr i ochr, roedd rhythm perffaith i'w goesau. Torrodd 18 record byd yn ystod ei yrfa!

Yng Ngêmau Olympaidd Llundain 1948, Viljo Heino o'r Ffindir oedd y ffefryn amlwg i ennill y fedal aur. Ef oedd y cyntaf erioed i redeg 10,000m mewn llai na hanner awr. Ond gwyddai'r Llychlynwr fod pwysau aruthrol arno i gyflawni gan fod eraill yn y ras yr un mor benderfynol ac yn barod i aberthu popeth er mwyn cipio'r fedal aur. Un o'r rheini oedd y gŵr o wlad Tsiecoslofacia, Emil Zátopek.

Ar brynhawn crasboeth mynnodd Emil Zátopek fynychu seremoni agoriadol y Gêmau yn Stadiwm Wembley er bod ras y 10,000m i'w chynnal y diwrnod canlynol. Dyfeisiodd ef a'i hyfforddwr gynllun i sicrhau y byddai Emil yn cadw at amser o 71 eiliad i bob un lap. Y syniad oedd y byddai ei hyfforddwr yn chwifio sgarff wen yn yr awyr o'r eisteddle petai e'n arafach na'r amser penodol a sgarff goch petai'n gynt. Bwriad Emil oedd rhedeg yn dactegol a chadw rhywfaint o adrenalin at y diwedd.

Roedd Wembley dan ei sang ac ar ddegfed lap y ras, a phymtheg yn weddill, symudodd Emil i'r blaen yn rhwydd. Fe lwyddodd i lapio pob un o'r cystadleuwyr ond dau. Oherwydd hynny, roedd hi'n draed moch am gyfnod wrth i'r gloch i ddynodi'r lap olaf gael ei chanu'n rhy gynnar. Serch hynny, enillodd Zátopek y fedal aur 300m a 48 eiliad o flaen y Ffrancwr, Alain Mimoun a hawliodd fedal arian! Aeth Emil ymlaen hefyd i ennill y fedal arian yn ras y 5,000m.

Aeth gam ymhellach yng Ngêmau Olympaidd Helsinki 1952 gan ennill y fedal aur yn ras y 10,000m a'r 5,000m, gyda'r Ffancwr Mimoun yn ail eto yn y ddwy ras. Ond doedd hynny ddim yn ddigon i Zátopek. Penderfynodd redeg ras y marathon ac yntau heb redeg y pellter erioed o'r blaen. Jim Peters oedd y ffefryn i

Enw: **Emil Zátopek**
Llysenw: ***Emil the Terrible* neu *The Czeck Locomotive***
Dyddiad geni: **19 Medi 1922**
Man geni: **Kopřivnice, Tsiecoslofacia**
Dyddiad marw: **22 Tachwedd 2000**
Taldra: **1.82m (6 troedfedd)**
Pwysau: 72kg (11 stôn, 4 pwys)
Camp: Rhedeg 10,000 m

LLWYDDIANT OLYMPAIDD
LLUNDAIN 1948:MEDAL AUR A MEDAL ARIAN
HELSINKI 1952: 3 MEDAL AUR

Emil yn derbyn llongyfarchiadau wrth ei wraig Dana yn y dorf

ennill y ras, ond Zátopek oedd y meistr ac enillodd yn gyfforddus – ddwy funud a hanner o flaen Reinaldo Gorno o'r Ariannin. Zátopek yw'r unig redwr i gipio'r trebl a'i gyfanswm o bedair medal aur ac un arian yn ei wneud yn un o'r cystadleuwyr Olympaidd gorau erioed.

Yn dilyn ei gampau Olympaidd, daeth Zátopek yn arwr cenedlaethol. Ar ôl gadael ei swydd yn ffatri esgidiau Bata yn ninas Prâg, aeth yn swyddog yn y fyddin. Ymhen amser, dyrchafwyd y gŵr tawel, diymhongar yn gyrnol oedd yn fawr ei barch.

Ond, daeth diwedd i fywyd cyfforddus Zátopek yn 1968 pan gyrhaeddodd byddinoedd Rwsia ddinas Prâg. Protestiodd yn ddiflewyn-ar-dafod gan ddatgan yn gyhoeddus na ddylai Rwsia gael cystadlu yng Ngêmau Olympaidd Dinas Mecsico 1968. Gwnaeth yr awdurdodau esiampl ohono, a'i anfon i weithio ym meysydd wraniwm Bohemia am chwe blynedd. Ar hyd ei oes roedd y delfrydau Olympaidd yn agos at ei galon.

Ffaith: Ar brynhawn ei fuddugoliaeth yn y 5,000m, enillodd ei wraig, Dana, fedal aur am daflu'r waywffon!

Emil Zátopek (903) yn pasio G. N. Jansson o Sweden yn ras y marathon

John Disley

HELSINKI 1952

ENILLODD JOHN DISLEY, YN ENEDIGOL O bentref Corris ger Machynlleth, fedal efydd yn ras ffos a pherth Gêmau Olympaidd Helsinki 1952. Ond, yn fwy arwyddocaol heddiw efallai, ef yw cadeirydd presennol Ymddiriedolaeth Elusennol Marathon Llundain.

Marathon Llundain yw un o brif ddigwyddiadau'r byd chwaraeon ym Mhrydain erbyn hyn. Wrth gwrs, gellid cyfeirio at Wimbledon, Ascot, Henley, gêmau rygbi Pencampwriaeth y Chwe Gwlad, rownd derfynol Cwpan Lloegr yn Wembley, diwrnod y Grand National yn Aintree, gêm brawf ar faes Thomas Lord neu Grand Prix Fformiwla 1 yn Silverstone yn yr un gwynt. Ond oherwydd nifer y cystadleuwyr, y niferoedd sy'n gwylio ar deledu a'r miliynau sy'n llenwi palmentydd Llundain bob blwyddyn, mae'n rhaid cydnabod efallai fod y ras a sefydlwyd gan y cyn-athletwyr Olympaidd Chris Brasher a John Disley nôl yn 1981 yn goron ar y gweddill.

Wedi ymddiddori yn y gamp ers blynyddoedd ac wedi profi hud a lledrith ras farathon enwog Efrog Newydd yn 1979, roedd Brasher a Disley'n awyddus iawn i drefnu ras drwy strydoedd Llundain. Yn dilyn cyfarfodydd niferus, a chadarnhad o nawdd am dair blynedd i'r ras gan gwmni rhyngwladol Gillette, penderfynodd y ddau fwrw ati i drefnu Marathon Llundain yn 1981. Derbyniwyd 7,747 o redwyr ar gyfer yr achlysur gyda Dick Beardsley ac Inge Simonsen yn ennill ras y dynion a Joyce Smith yn torri'r record Brydeinig i gipio ras y menywod.

Dros y blynyddoedd mae twf Marathon Llundain wedi bod yn rhyfeddol ac yn bendant dyma un o brif ddigwyddiadau calendr chwaraeon y byd erbyn hyn. Ar gyfartaledd, mae dros 35,000 o redwyr y flwyddyn wedi gorffen y ras ers 2007 – rhai yn rhedwyr profiadol ond y mwyafrif llethol yno i godi arian ar gyfer achosion da. Bu farw Chris Brasher, enillydd y fedal aur yn ras ffos a pherth Gêmau Olympaidd Melbourne 1956, ym mis Chwefror 2003.

Enw: **John Ivor Disley**
Dyddid geni: **20 Tachwedd 1928**
Man geni: **Corris, Meirionnydd, Cymru**
Taldra: **1.8m (5 troedfedd, 11 modfedd)**
Pwysau: **71kg (11 stôn, 2 bwys)**
Camp: **Rhedeg pellter hir**

LLWYDDIANT OLYMPAIDD
HELSINKI 1952: MEDAL EFYDD

1956

Melbourne

FFEITHIAU DIFYR

- Gêmau Melbourne yn 1956 oedd y Gêmau Olympaidd cyntaf i'w cynnal yn Hemisffer y De.
- Effeithiwyd ar y cystadlu gan wleidyddiaeth. Gwrthododd yr Aifft, Irac a Libanus gystadlu oherwydd ymosodiad yr Israeliaid ar Gamlas Suez. Felly hefyd Sbaen, yr Iseldiroedd a'r Swistir yn sgîl presenoldeb tanciau Rwsia ar strydoedd Budapest, Hwngari.
- Canfu'r codwr pwysau Charles Vinci ei fod e rhyw saith owns drosodd yn y pwysau bantam. Aeth i dorri'i wallt ar unwaith cyn mynd ymlaen i gipio'r fedal aur yn y gystadleuaeth yn ogystal â thorri record byd.
- Cafwyd nifer o ddigwyddiadau reit anarferol gan gynnwys camgychwyn yn y marathon o bob ras!

Charles Vinci'n paratoi i dderbyn ei fedal aur

Helynt yn y pwll nofio yn ystod y gystadleuaeth polo dŵr

Dair wythnos yn unig ar ôl i 250,000 o filwyr Rwsia ymosod ar Hwngari, bu'n rhaid i'r ddwy wlad ymgiprys yn rownd derfynol y polo dŵr. Yn dilyn cyfnod o densiwn a thyndra yn y pwll aeth pethau dros ben llestri gyda'r chwaraewyr yn ymladd am eu bywydau o flaen 5,000 o gefnogwyr. Bu'n rhaid rhoi terfyn ar y chwarae gyda Hwngari'n ennill o bedair gôl i ddim gan gipio'r fedal aur. Penderfynodd 45 o athletwyr a hyfforddwyr tîm Hwngari aros yn barhaol yn Awstralia ar ôl y Gêmau.

Yng nghystadleuaeth naid y polyn defnyddiwyd polion gwydr ffeibr am y tro cyntaf er bod Bob Mathias wedi arbrofi â'r un deunydd yn y decathlon yn Helsinki yn 1952.

Yn dilyn awgrym gan ŵr o'r enw John Ian Wang, trefnwyd i'r holl athletwyr orymdeithio gyda'i gilydd ar gyfer y seremoni gloi yn hytrach na fesul gwledydd, fel symbol o undod a chyfeillgarwch. Yng Ngêmau Olympaidd Sydney 2000 cafodd Wang ei wahodd i'r dathliadau. Ar y pryd, roedd e'n rhedeg tŷ bwyta Tsieineaidd yn Bucharest, Rwmania, ond derbyniodd y gwahoddiad a hedfan i Sydney fel VIP swyddogol.

Rhufain

1960

Criw o edmygwyr yn cael y cyfle i weld medal aur Cassius Clay ar un o strydoedd Rhufain ar ôl ei fuddugoliaeth

Cassius Clay

RHUFAIN 1960

Cassius Clay ar y brig

MAE BOCSIO WEDI BOD YN RHAN ANNATOD o'r mudiad Olympaidd ers Gêmau St Louis 1904. Dyw'r enillwyr cynharaf ddim yn enwau cyfarwydd gan mai bocswyr amatur oedden nhw. Ond, wedi'r Ail Ryfel Byd, dechreuodd ambell focsiwr proffesiynol gystadlu a llwyddo yn y Gêmau Olympaidd, yn cynnwys Oscar De La Hoya, Sugar Ray Leonard, Lászlό Papp, Floyd Patterson, Joe Frazier, George Foreman, Lennox Lewis, Teófilo Stevenson a Cassius Marcellus Clay.

Yn ddeunaw mlwydd oed, enillodd Clay (neu Muhammad Ali fel mae pawb yn ei adnabod bellach) fedal aur yn y gystadleuaeth pwysau is-drwm yn Rhufain yn 1960. Roedd ei fuddugoliaethau mewn pum gornest yn rhai clir a chyfforddus. Heb os, Ali yw un o arwyr pennaf byd campau'r ugeinfed ganrif oherwydd ei allu naturiol fel ymladdwr a'i gymeriad carismataidd. Er yn gwlffyn o ran maint roedd e'n ysgafn ar ei draed ac yn feistr ar osgoi ergydion ei wrthwynebydd. Disgrifiodd ef ei hun ei grefft gyda'r geiriau anfarwol:

'float like a butterfly and sting like a bee!'

Roedd Clay wrth ei fodd â'i fedal aur, ac yn ei gwisgo i bobman. Teimlai'n fraint cael bod yn frodor o'r Unol Daleithiau tan i un digwyddiad ei chwerwi'n llwyr.

'We don't serve no black men.'

Dyna ymateb perchen tŷ bwyta lleol wrth Clay pan ymwelodd â'r lle. Yn drist a siomedig, taflodd ei fedal aur Olympaidd i'r Afon Ohio gerllaw.

Ar 25 Chwefror 1964, coronwyd Cassius Clay yn bencampwr pwysau trwm y byd ar ôl trechu Sonny Liston ac aeth ymlaen i amddiffyn ei goron naw o weithiau dros y dair blynedd nesaf. Cyhoeddodd yn fuan ar ôl hynny ei fod wedi troi at y ffydd Islamaidd ac y byddai'n newid ei enw i Muhammad Ali. Gwrthododd ymladd yn Rhyfel Fietnam ac oherwydd hynny, bu'n rhaid iddo ildio coron pwysau trwm y byd. Ond llwyddodd i adennill y bencampwriaeth honno yn 1974 ar ôl llorio George Foreman yn Zaire. Aeth yn ei flaen i ennill deg gornest arall cyn colli yn erbyn Michael Spinks yn 1978.

Yn 1996 dewiswyd y gŵr a ddisgrifiwyd fel cawr ym myd y campau i gynnau'r fflam Olympaidd yng Ngêmau Atlanta 1996. Yn ystod y Gêmau cyflwynwyd ail fedal aur i'r bocsiwr i wneud yn iawn am yr un a gollodd.

Hyd yn oed heddiw, mae Muhammad Ali, sydd bellach yn dioddef o glefyd Parkinson, yr un mor boblogaidd ag erioed ac yn llawn haeddu cael ei ddisgrifio fel icon ym myd y campau.

Muhammad Ali, ar y dde, yn ymarfer ar gyfer ei ornest yng Ngêmau Olympaidd Rhufain 1960 gyda Percy Price o Phildadelphia

Enw: **Cassius Marcellus Clay, Jr./ Muhammad Ali**
Llysenw: **The Greatest, The People's Champion, The Louisville Lip**
Dyddiad geni: **17 Ionawr 1942**
Man geni: **Louisville, Kentucky, UDA**
Taldra: **1.91m (6 troedfedd, 3 modfedd)**
Pwysau: **90.2kg (14 stôn 2 bwys)**

LLWYDDIANT OLYMPAIDD
RHUFAIN 1960: MEDAL AUR

Herb Elliott

RHUFAIN 1960

'Ma' 'da fi eiriadur ardderchog. Mae'r geiriau 'methu' a 'methiant' wedi'u croesi mas ers blynyddoedd. Efallai fod pobol yn tangyflawni neu'n aflwyddiannus weithiau, ond yn 'methu'... byth!'

'Pan wyt ti mas ar y trac does neb yno 'da ti. Fydda i ddim 'da ti. Fydd dy Dduw ddim 'da ti. Fydd dy fam a dy dad ddim 'da ti. Rwyt ti'n gwbl annibynnol a rhaid i ti dderbyn cyfrifoldeb am yr hyn wyt ti'n bwriadu'i 'neud.' **Percy Cerutty**

Enw: **Herbert James Elliott**
Llysenw: **Herb Elliott**
Dyddiad geni: **25 Chwefror 1938**
Man geni: **Perth, Gorllewin Awstralia**
Taldra: **1.81m (5 troedfedd, 10.5 modfedd)**
Pwysau: **68kg (10 stôn, 7 pwys)**
Camp: **Rhedeg 1500m**

LLWYDDIANT OLYMPAIDD
RHUFAIN 1960: MEDAL AUR

CYFARWYDDIADAU EI HYFFORDDWR CARISMATAIDD Percy Cerutty yn ogystal â'i ymweliad â Gêmau Olympaidd Melbourne 1956 a ysgogodd yr athletwr Herb Elliott i lwyddo fel rhedwr ac i anelu at gystadlu yng Ngêmau Olympaidd Rhufain 1960.

Yn sicr roedd y byd a'r betws yn ymwybodol o botensial Herb Elliott flynyddoedd cyn Gêmau Rhufain. Yng Ngêmau'r Gymanwlad yng Nghaerdydd yn 1958, enillodd y gŵr o Awstralia ras y filltir a'r hanner milltir yn ogystal â chreu record byd yn y filltir a'r 1500m yn yr un flwyddyn. Roedd e'n ddiguro o dan hyfforddiant Cerutty a phawb yn gytun mai Elliott fyddai'n cipio'r 1500m yn Rhufain. Y cwestiwn ar wefusau'r sylwebwyr oedd, 'Pwy tybed fydd yn hawlio'r fedal arian?'

Roedd Cerutty'n hyfforddwr taer ac o bosibl braidd yn ecsentrig. Doedd e ddim yn berchen ar wats. Ond roedd Herb Elliott yn fwy na pharod i gael ei hyfforddi ganddo ar dwyni tywod arfordir Portsea ger Melbourne ac yn y gampfa. Rhedai'n gyson ar draethau paradwysaidd, yn ymyl clogwyni mawreddog lle roedd y tonnau'n tasgu o gwmpas ei draed. Roedd y dulliau ymarfer gwahanol, y diet, y cyffro, yr asbri, y tensiwn ysbeidiol a'r geiriau o gyngor yn golygu fod yr athletwr ifanc wedi datblygu dros gyfnod o bedair blynedd yn arwain at Gêmau Olympaidd Rhufain.

Yno, llwyddodd Herb Elliott i chwalu'i wrthwynebwyr. Yn y Stadiwm Olympaidd ar lannau'r Tiber cyfareddwyd 90,000 o gefnogwyr gan berfformiad arbennig. Brasgamai fel rhyw anifail ar hyd y trac. Â thraean o'r ras yn weddill, cyflymodd, wrth i'r dorf ddechrau synhwyro

Herb Elliott ar ei ffordd i ennill y fedal aur yn ras y 1500m mewn record byd o 3 munud 35.6 eiliad

record byd. Rhedodd y lap olaf mewn 55 eiliad ac ennill y ras o ryw 20m a thorri record byd mewn amser o 3:35:6. Hyd yn oed heddiw, mae Herb Elliott yn dal i gael ei gydnabod fel un o'r goreuon erioed dros y pellter.

Rai wythnosau ar ôl y fuddugoliaeth, ac yntau'n ddim ond 22 oed, penderfynodd Herb Elliott ymddeol. Ei nod oedd ennill medal aur yn Rhufain. Roedd wedi gwireddu ei freuddwyd. Wedi'r holl ymarfer a'r llwyddiant, pwy fyddai'n gwrthod cyfle iddo roi ei draed i fyny?

Abebe Bikila

RHUFAIN 1960
TOKYO 1964

Abebe Bikila o Ethiopia ar flaen y gad yn ras y marathon

Enw: **Abebe Bikila**
Dyddiad geni: **7 Awst 1932**
Man geni: **Jato, Mendida, Ethiopia**
Dyddiad marw: **25 Hydref 1973**
Taldra: **1.77m (5 troedfedd, 10 modfedd)**
Pwysau: **57kg (8 stôn, 7 pwys)**
Camp: **Y marathon**

LLWYDDIANT OLYMPAIDD
RHUFAIN 1960: MEDAL AUR
TOKYO 1964: MEDAL AUR

ONI BAI I REDWR MARATHON ARALL O ETHIOPIA, sef Wami Biratu, dorri'i bigwrn wrth chwarae pêl-droed ddiwrnodau cyn i'r tîm Olympaidd hedfan i Rufain, efallai na fyddai Abebe Bikila wedi cael cyfle i gystadlu o gwbl yng Ngêmau 1960. Roedd Onni Niskanen, yr hyfforddwr, wedi'i blesio gan ymroddiad a gallu Abebe a phenderfynodd ei gynnwys ar gyfer y ras i gydredeg â Mamo Wolde ac Abebe Wakgira.

Roedd un peth arbennig iawn am Abebe Bikila. Byddai bob amser yn rhedeg yn droednoeth. Ond sut allai unrhyw un redeg ras chwe milltir ar hugain o gwmpas strydoedd hynafol Rhufain yn droednoeth, yn enwedig o gofio nad oedd y ras i'w chynnal yn y Stadiwm Olympaidd o gwbl? Roedd y cwrs wedi ei gynllunio o gwmpas myrdd o safleoedd hanesyddol y ddinas, gan gynnwys y Colisëwm, y Fforwm, y Via Appia ac Arco di Constantino. Roedd y ras i ddechrau yn hwyr y dydd er mwyn osgoi gwres llethol y prynhawn. Fe geisiodd cwmni Adidas ddod o hyd i bâr o sgidiau rhedeg addas ar gyfer Bikila ond ofer fu pob ymgais. Doedd e ddim yn teimlo'n gyfforddus yn eu gwisgo. Felly, penderfynodd redeg yn droednoeth a chan ei fod yn hen gyfarwydd â thir sychlyd, caregog Ethiopia, llwyddodd i redeg drwy strydoedd Rhufain heb fawr o drafferth.

Troednoeth neu beidio, roedd steil rhedeg Abebe Bikila'n berffaith. Roedd y pen a rhannau uchaf y corff yn llonydd. Cariai ei gamau hirion ef yn glir ar y blaen i'w wrthwynebwyr. Rhadi Ben Abdesselm o Foroco oedd y ffefryn i ennill y ras. Erbyn y diwedd, roedd 200m yn gwahanu'r cyntaf a'r ail, a Bikila, y dyn du o Ethiopia, yn dod i'r brig – y person du cyntaf o gyfandir Affrica i dderbyn medal aur Olympaidd. Aeth yn ei flaen i ennill eto yng Ngêmau Olympaidd Tokyo 1964.

Ffaith: Bu'n rhaid aros tan 1984 cyn i'r Mudiad Olympaidd dderbyn bod merched yn ddigon cryf ac abl i redeg chwe milltir ar hugain mewn ras marathon.

Tokyo

1964

Lynn Davies

TOKYO 1964

AR DDYDD GWENER OLAF MIS MAI 1961, BU BRON i Lynn Davies o Nant-y-moel neidio o un pen pwll neidio Ysgol Ramadeg Ogwr i'r llall. Roedd ei naid o 21 troedfedd, gan gofio'r amodau cyntefig, yn wyrthiol. Petai'r ysgol yn berchen ar dechnoleg yr unfed ganrif ar hugain fe fyddai'r athro Addysg Gorfforol, Royden Thomas, wedi gofyn am ail-chwarae'r naid gan na allai'r staff a'r cystadleuwyr eraill gredu eu llygaid.

A Lynn oedd seren Mabolgampau'r Sir yn Stadiwm Maindy, Caerdydd yr wythnos wedyn pan neidiodd 22 troedfedd. Yno'n bresennol, ac yn dyst i gamp yr athletwr ifanc, oedd yr hyfforddwr cenedlaethol Ron Pickering.

O fewn deunaw mis i'w lwyddiant ar gae chwarae'r ysgol yn Nant-y-moel, roedd Lynn yn gwisgo fest goch Cymru yng Ngêmau'r Gymanwlad yn Perth, Awstralia, lle daeth e'n bedwerydd, gyda naid o 25 troedfedd. Yn naturiol, roedd e'n siomedig na chipiodd fedal ond roedd e'n ffyddiog y gallai herio'r goreuon eto yn y dyfodol agos.

Ddechrau 1964, ar ôl cyfnod o ymarfer dwys gyda Ron Pickering ar y trac ac yn y gampfa, fe gyrhaeddodd llythyr gartref Lynn yn 14 Commercial Street, Nant-y-moel – llythyr yn cadarnhau y byddai'n rhan o garfan Prydain ar gyfer Gêmau Olympaidd Tokyo yn yr haf. Roedd Lynn a phawb yn y pentref wrth eu bodd.

Enw: **Lynn Davies**
Llysenw: **Lynn the Leap**
Man geni: **Nant-y-moel, Cymru**
Dyddiad geni: **20 Mai 1942**
Taldra: **1.85m (6 troedfedd, 1 modfedd)**
Pwysau: **77kg (12 stôn, 1 pwys)**
Camp: **Naid hir**

LLWYDDIANT OLYMPAIDD
TOKYO 1964: MEDAL AUR

Lynn Davies yn cystadlu yn rownd derfynol y naid hir yn Tokyo

Roedd y siwrnai i Siapan yn un hunllefus; yr awyren BOAC yn galw yn Rhufain, Tehran, Karachi, Calcutta a Hong Kong cyn cyrraedd pen y daith. Ond, roedd pythefnos i fwrw blino cyn y gystadleuaeth fawr.

Yn nyddiau'r llythyr a'r teligram, roedd hi'n anodd cysylltu â theulu a ffrindiau. Ond ysbrydolwyd Lynn a'r cystadleuwyr eraill gan berfformiad gwych Mary Rand yn y naid hir – record byd wrth hawlio'r fedal aur. Yn nyddiau'r e-bost, tybed a fyddai'r Cymro, oriau cyn ac yn ystod y gystadleuaeth, wedi ysgrifennu blog fel hyn:

Troi a throsi! Delweddau o Gêmau'r gorffennol yn cronni yn yr is-ymwybod. Awyr las ... haul cynnes, croesawus. Cefnogwyr yn cysgodi o dan ambell ymbarél caleidoscopig. Larwm yn fy nihuno am chwech y bore. Sefyllfa drychinebus ... glaw trwm, gwyntoedd cryfion. Yn debyg i Nant-y-moel ym mis Chwefror! Brecwast a phacio cyn dal y bws i'r stadiwm. Y rownd ragbrofol yn dechrau am ddeg. Rhaid neidio 7.80 metr i gyrraedd y rownd derfynol. Tri chyfle. Yr amodau'n ddifrifol o wael. Rhedeg i lygad y ddrycin.

Y ddwy naid gynta'n anghyfreithlon! Ro'n i'n benwan. Ralph Boston yn cyrraedd y nod heb fawr o drafferth. Gwên gellweirus ar ei wyneb. Aros yn amyneddgar. Canolbwyntio'n llwyr. Meddwl am y twyni tywod ym Merthyr Mawr; oriau o godi pwysau; balchder teuluol. Naid arall anghyfreithlon? Byth bythoedd! Hedfan ar hyd y rhedfa- meddwl am drên bwled Siapan. Pum eilad pwysicaf fy mywyd. Geiriau Ron yn atseinio'n fy mhen, "Controlled aggression". Taro'r bwrdd yn berffaith. Cadarnhad yn union fy mod wedi plesio'r beirniaid. Ail naid orau'r gystadleuaeth hyd yn hyn!

Cawod, cinio ysgafn. Ron yn bles. Cofio'i eiriau ola', "You can get bronze!" Cipolwg sydyn ar y cystadleuwyr eraill, yn enwedig Boston a Ter-Ovanesyan - y ddau'n diawlio'r tywydd. Deuddeg yn ymladd am yr aur. Tair naid yr un a thair naid ychwanegol i'r goreuon.

Â dwy naid yn weddill, ro'n i'n cael gwaith sefyll ar fy nhraed! Syllu ar faneri'r stadiwm - peidiodd y gwynt am ychydig. Es amdani! Taro'r bwrdd yn berffaith a hedfan drwy'r awyr. Aros yn stond am gadarnhad yn y goleuadau llachar. 8.07m. Ro'n i ar y blaen!

Mae'n siŵr mai postmon Nant-y-moel oedd postmon prysuraf y blaned yn dilyn camp gwbl anhygoel Lynn the Leap – cardiau, llythyrau a theligramau'n cyrraedd y pentref o bell ac agos. Pan bwffiodd y trên stêm ei ffordd i blatfform gorsaf Caerdydd, roedd miloedd o Gymry yno i'w groesawu. Cludwyd Lynn, ei gariad, Meriel, a Ron yng ngherbyd y Maer i Nant-y-moel, a oedd yn fôr o gân a rhubanau a baneri'n hongian o bob adeilad. O'i stafell wely, fe ddiolchodd Lynn i'r dyrfa fawr, i'w deulu a'i hyfforddwr am eu cefnogaeth.

Erbyn hyn, Lynn Davies yw llywydd UK Athletics. Mae'n flaenllaw iawn fel un o drefnwyr Gêmau Olympaidd Llundain 2012.

Ann Packer

TOKYO 1964

Ann Packer o Brydain yn derbyn cusan gan ei dyweddi, Robbie Brightwell, ar ôl iddi ennill y fedal aur yn ras yr 800m i ferched

RHEDWRAIG 400M OEDD ANN PACKER AC ROEDD hi'n gymharol ffyddiog y byddai'n agos i ennill medal aur yn Tokyo yn 1964. Fe chwalodd hi'r record Ewropeaidd (52.2 eiliad) ond Betty Cuthbert o Awstralia oedd enillydd y ras ac Ann druan yn gorfod bodloni ar fedal arian. Roedd ei dyweddi, Robbie Brightwell, yn un o'r ffefrynnau yn ras y 400m i ddynion, ond methodd â herio'r goreuon gan orffen yn bedwerydd.

Diwrnod rhagras yr 800m, bwriad Ann Packer oedd treulio'r dydd yn siopa yn *downtown* Tokyo. Ond cafodd ei pherswadio gan yr awdurdodau Prydeinig i fentro yn y ras, er nad oedd hi ond wedi rhedeg ras 800m deirgwaith o'r blaen. Gan mai hi oedd yr unig un o Brydain oedd wedi rhedeg y ras o fewn yr amser penodedig, cytunodd. Pumed oedd Ann yn y rhagras (2:12:6), trydydd yn y rownd gyn-derfynol (2:06:0) a hi oedd yr arafaf o'r wyth i gystadlu yn y rownd derfynol. Oherwydd hynny, doedd hi ddim yn teimlo dan unrhyw bwysau o gwbwl pan ddaeth hi'n amser rhedeg y ras, gan syllu o gwmpas y stadiwm â gwên ar ei hwyneb wrth aros ar y llinell yn barod i ddechrau rhedeg. Yn sicr, doedd hi ddim wedi ystyried cipio medal!

Beth bynnag, ar ôl 400m o'r ras, roedd Ann Packer yn chweched. Ond, o fewn dim, a hithau'n rhedeg yn naturiol a diymdrech, roedd hi ar y blaen ac yn gwibio dros y llinell derfyn mewn amser anhygoel o 2:01:1 – record byd newydd!

O fewn dyddiau, a hithau ond yn 22 oed, penderfynodd roi'r ffidl yn y to, ar ôl un o berfformiadau mwayf annisgwyl a greddfol y Gêmau Olympaidd.

Enw: **Ann Elizabeth Packer**
Llysenw: **Anpack**
Dyddiad geni: **8 Mawrth 1942**
Man geni: **Moulsford, Swydd Rhydychen, Lloegr**
Taldra: **1.69m (5 troedfedd, 7 modfedd)**
Pwysau: **57kg (9 stôn)**
Camp: **Rhedeg 400m, 800m a'r naid hir**

LLWYDDIANT OLYMPAIDD
TOKYO 1964: MEDAL AUR A MEDAL ARIAN

Ron Clarke

TOKYO 1964
DINAS MECSICO 1968

DRWY GYDOL Y 1960AU, RON CLARKE OEDD rhedwr pellter canol gorau'r byd. Chwalodd 17 record byd yn ystod y cyfnod a'i brofi'i hun yn un o'r goreuon erioed. O Sydney i Seattle cytunai'r arbenigwyr mai Clarke oedd y meistr.

Ond doedd y Gêmau Olympaidd ddim yn garedig wrtho. Bu bron â chyrraedd y brig yng Ngêmau Olympaidd 1964 yn Tokyo, ond yn groes i'r disgwyl, daeth Billy Mills o'r Unol Daleithiau fel rhyw seren wib a chwalu breuddwyd Clarke. Bodlonodd ar y fedal efydd.

Yn Ninas Mecsico yn 1968, profodd daearyddiaeth y ddinas (2,240m yn uwch na lefel y môr) yn drech na'r gŵr o Awstralia. Cludwyd Clarke ar stretsiar i'r ysbyty ar ôl gorffen yn chweched yn dioddef o ddiffyg ocsigen. Yn sicr, doedd y duwiau Olympaidd ddim yn gwenu arno bryd hynny chwaith!

Ond *fe* lwyddodd Ron Clarke i gael ei ddwylo ar fedal aur Olympaidd. Dros y blynyddoedd, daeth yn ffrindiau ag un o hoelion wyth y byd athletau, sef yr unigryw Emil Zátopek. Ar ôl i Clarke ymweld â'i ffrind yn ei gartref yn ninas Prâg yn y 1970au, ffarweliodd y ddau yn y maes awyr ar ôl i Zátopek stwffio bag papur brown i fag ei gyfaill. Ar yr awyren, wrth i Clarke dwrio drwy gynnwys y bag, daeth o hyd i'r fedal aur a enillodd Zátopek yn y ras 10,000m yng Ngêmau Olympaidd Helsinki 1952. Er nad enillodd Clarke fedal aur ei hunan, roedd hi'n amlwg fod Zátopek yn credu ei fod yn deilwng o'r anrhydedd. Mae'n siŵr y byddai'r Barwn Pierre de Coubertin wedi cydweld â barn y gŵr o Tsiecoslofacia hefyd!

Ron Clarke a ddaeth mor agos, ond eto mor bell

Enw: **Ronald William 'Ron' Clarke**
Dyddiad geni: **21 Chwefror 1937**
Man geni: **Melbourne, Victoria, Awstralia**
Taldra: **1.83m (6 troedfedd)**
Pwysau: **72kg (11 stôn, 3 pwys)**
Camp: **Rhedeg pellter canol**

LLWYDDIANT OLYMPAIDD
TOKYO 1964: MEDAL EFYDD

Dinas Mecsico

1968

Seremoni gwobrwyo'r medalau wrth i Tommie Smith (canol) a John Carlos (dde) o UDA godi eu breichiau'n heriol fel protest dros hawliau'r duon

GRYM Y DUON

TOMMIE SMITH, JOHN CARLOS A PETER NORMAN

Dyw'r sefydliad Olympaidd ddim yn hoff o unrhyw feirniadaeth a gwae unrhyw un sy'n defnyddio'r Gêmau i hybu achos neu athroniaeth wleidyddol. Droeon yn y gorffennol gwelwyd hyn yn digwydd gyda'r gyflafan ym Munich ar 5 Medi 1972 ymhlith y gwaethaf. Lladdwyd 11 o gystadleuwyr o Israel a phlismon o'r Almaen gan aelodau o fudiad terfysgol Palestinaidd y Black September, er mwyn tynnu sylw at yr anghyfiawnder yn y Dwyrain Canol.

Heb os, un o'r digwyddiadau mwyaf symbolaidd yn y Gêmau Olympaidd oedd y brotest yn ystod seremoni gwobrwyo ras y 200m i ddynion yn Ninas Mecsico yn 1968. Tommie Smith o'r Unol Daleithiau hawliodd y sylw yn dilyn y ras gan iddo gipio'r fedal aur yn ogystal â chwblhau'r pellter mewn record byd o 19.83 eiliad. Synhwyrodd y dorf fod rhywbeth ar fin digwydd wrth weld Smith a'i gyfaill John Carlos, enillydd y fedal efydd, yn cerdded i'r podiwm mewn sanau duon, sef symbol o dlodi'r bobl dduon o gwmpas y byd.

Pan chwaraewyd anthem yr Unol Daleithiau, *The Star Spangled Banner*, gwelwyd Smith a Carlos yn plygu'u pennau ac yn ymestyn braich yr un i gyfarch y dorf a'r miliynau o wylwyr ar y teledu. Roedd y naill a'r llall yn gwisgo maneg ddu i brotestio at yr annhegwch hiliol a oedd yn bod yn yr Unol Daleithiau.

Rai munudau cyn y seremoni, wrth i John Carlos sylweddoli ei fod wedi anghofio'i fenig, awgrymodd Peter Norman o Awstralia, enillydd y fedal arian, fod y ddau'n defnyddio pâr Tommie Smith ac yn gwisgo maneg yr un.

Tri athletwr sydd wedi rhedeg ras y 200m mewn 20 eiliad fflat neu lai, sef o'r chwith, Larry Questad, Tommie Smith a John Carlos, a dorrodd record Smith gydag amser o 19.7 eiliad

Roedd e'n cydymdeimlo'n fawr â'r achos a chytunodd i'w cefnogi drwy wisgo bathodyn hawliau dynol. Beirniadwyd y ddau'n llym yn dilyn y brotest gan fod y Pwyllgor Olympaidd yn benwan ynglŷn â'u safiad. O fewn dim, roedd y ddau wedi eu diarddel gan Bwyllgor Olympaidd yr Unol Daleithiau a'u gwahardd o bentref yr athletwyr.

Mewn cyfweliad yn dilyn y brotest siaradodd Tommie Smith yn blwmp ac yn blaen:

'Ennill, a dwi'n Americanwr. Colli, a dwi'n ddyn du. Y gwir plaen yw fy mod yn ddu ac yn falch ryfeddol o hynny. Fe fydd pobl dduon America'n deall arwyddocâd yr hyn a wnaethon ni heno.'

Yn sgîl eu gweithred cafodd Smith a Carlos eu hanwybyddu gan drwch poblogaeth yr Unol Daleithiau. Dioddefodd Peter Norman yn enbyd o ganlyniad i'w safiad hefyd oherwydd hiliaeth yn Awstralia. Doedd neb yn bresennol yn y maes awyr yn Sydney i'w groesawu 'nôl o Ganolbarth America a chafodd ei gyhuddo gan y wasg o sarnu enw da ei wlad. Er ei fod yn ddigon cyflym i ennill medal arall

Tommie Smith, chwith, a John Carlos, dde, gyda'i gilydd unwaith eto i gario arch Peter Norman, enillydd y fedal arian yn Ninas Mecsico, yn ei angladd ym Melbourne, Awstralia, yn 2006

Isod: Tommie Smith, chwith, a John Carlos, dde, yn derbyn Gwobr Arthur Ashe am Ddewrder yn Los Angeles yn 2008

yng Ngêmau Olympaidd Munich yn 1972, penderfynodd dewiswyr tîm athletau Awstralia anwybyddu Norman yn llwyr.

Yn ystod Gêmau Olympaidd Sydney 2000, derbyniodd Peter Norman wahoddiad swyddogol i fynychu'r seremonïau – wrth swyddogion athletau yr Unol Daleithiau! Aeth Norman a'i wraig Jan i sawl digwyddiad ond yr uchafbwynt i'r ddau, heb os, oedd cyfarfod ag wyres Jesse Owens.

Bu farw Peter Norman o drawiad ar y galon yn 2006, ac yn bresennol i gyflwyno areithiau angladdol teimladwy ac i gludo'i arch i'r fynwent i gerddoriaeth Vangelis *Chariots of Fire*, roedd Tommie Smith a John Carlos, y ddau erbyn hyn yn arwyr cenedlaethol.

Mae geiriau Peter Norman ychydig ar ôl iddo ddychwelyd o Gêmau Olympaidd Mecsico yn addas i'r tri oedd ar y podiwm yn dilyn ras y 200m:

'Dwi'n credu mewn hawliau dynol hyd at farw.'

Bob Beamon

DINAS MECSICO 1968

Bob Beamon yn derbyn ei fedal aur gyda Ralph Boston o'r UDA (efydd) a Klaus Beer o Ddwyrain yr Almaen (arian)

TENAU IAWN YW'R AER YN NINAS MECSICO oherwydd ei huchder o 2,240m uwchben y môr. Oherwydd hynny, roedd gwyddonwyr wedi awgrymu y byddai mantais i rai cystadleuwyr – yn enwedig y neidwyr a'r rhedwyr 400m dros y clwydi. Byddai'r diffyg ocsigen wedyn yn fwy o broblem i gystadleuwyr mewn campau eraill, hirach. Roedd llawer yn sôn y byddai neidwyr fel Lynn Davies, enillydd y fedal aur yng Ngêmau Olympiadd Tokyo yn 1964, Ralph Boston ac Igor Ter-Ovanesian, ill dau yn dal record y byd yn y naid hir, yn debygol o wneud yn dda iawn yno.

Ond doedd fawr neb wedi clywed am Bob Beamon, yr athletwr du 22 oed o'r Unol Daleithiau a gyrhaeddodd Ddinas Mecsico'n llawn gobaith. Mantais fawr Beamon oedd ei gyflymdra anhygoel a'i goesau hirion. Ond, roedd e'n gallu bod yn anwadal, fel y dangosodd yn y rownd ragbrofol. Ar ôl cyngor gan Ralph Boston y dylai ymestyn ei rediad rhywfaint, llwyddodd Beamon i gyrraedd y nod ac ennill lle yn y rownd derfynol.

Ac am gystadleuaeth! Yn y rownd honno, Beamon oedd y cyntaf i neidio'n glir; roedd y tri neidiwr blaenorol wedi derbyn baner goch am neidio dros y bwrdd. Yna, daeth ail naid Beamon. Ar ôl eiliad neu ddwy'n sefyll ac yn meddwl ar y rhedfa, brasgamodd yn ei flaen, ffrwydrodd i'r awyr ychydig y tu ôl i'r bwrdd, hwylio'n osgeiddig drwy'r awyr cyn glanio'n gyfforddus yn y tywod meddal.

'Wyth troedfedd ar hugain,' oedd sylw Ralph Boston wrth iddo edrych yn agosach ar y tywod yng nghwmni Lynn Davies. Erbyn hyn, roedd Beamon yn dechrau cyffroi. Ac roedd yna oedi gan fod y naid dipyn pellach na gallu'r offer mesur yn y stadiwm. Bu'n rhaid defnyddio tâp mesur henffasiwn.

'Rhaid mesur unwaith eto; mae rhywbeth o'i le!' oedd ymateb y prif swyddog, Adriaan Paulen. Ond doedd dim o'i le. Ymddangosodd y pellter ar fwrdd electronig

y stadiwm. Nid yn unig roedd Bob Beamon wedi hwylio heibio i'r 28 troedfedd (8.50m) ond fe aeth heibio'r 29 troedfedd (8.90m) hefyd!

Gydag un naid, fe wnaeth Bob Beamon anfarwoli'i hun. Hyd yn oed heddiw, mae sylwebwyr yn dal i sôn am ei gamp. Ers 1901, llwyddwyd i ymestyn record y byd yn y naid hir dair ar ddeg o weithiau ac ar gyfartaledd o ryw 5cm bob tro. Chwalodd Bob Beamon y record o 55cm! Doedd neb wedi breuddwydio cyrraedd y fath bellter. Llewygodd pan sylweddolodd yr hyn yr oedd e wedi'i gyflawni. Roedd pawb yn y stadiwm a ledled y byd hefyd yn methu credu'r hyn oedd wedi digwydd!

Enw: **Robert Beamon**
Llysenw: **Bob Beamon**
Dyddiad geni: **29 Awst 1946**
Man geni: **Queens, Efrog Newydd, UDA.**
Taldra: **1.91m (6 troedfedd, 3 modfedd)**
Pwysau: **70kg (11 stôn)**
Camp: **Naid hir**

LLWYDDIANT OLYMPAIDD
DINAS MECSICO 1968: MEDAL AUR

Lillian Board

DINAS MECSICO 1968

Lillian Board ar ôl iddi dderbyn medal yr OBE gan y Frenhines ym Mhalas Buckingham yn 1970

Enw: **Lillian Barbara Board**
Dyddiad geni: **13 Rhagfyr 1948**
Man geni: **Durban, De Affrica.**
Dyddiad marw: **26 Rhagfyr 1970**
Taldra: **1.68m (5 troedfedd, 6 modfedd)**
Pwysau: **60kg (9 stôn, 7 pwys)**
Camp: **Rhedeg 400 m**

LLWYDDIANT OLYMPAIDD
DINAS MECSICO 1968: MEDAL ARIAN

LILLIAN BOARD OEDD *PIN-UP GIRL* DIWEDD Y 1960AU. Daeth i'r amlwg gyntaf yn dilyn ei buddugoliaeth yn ras y 400m i dîm y Gymanwlad yn erbyn yr Unol Daleithiau yn Los Angeles, fis Gorffennaf 1967. O'r wythfed safle, brasgamodd dros y 200m olaf i ennill ras bwysicaf ei bywyd. Darlledwyd y ras yn fyw ar deledu lliw ar draws y byd a'i hamser o 52.8 eiliad oedd y gorau erioed i ferch o Ewrop.

Yn dilyn ei champ yn Los Angeles, aeth yn ei blaen i osod ei stamp ar y byd athletau. Er nad oedd hi erioed wedi cystadlu ar y llwyfan Olympaidd, roedd disgwyl i'r ferch 19 oed o ardal Ealing, Llundain, lwyddo yng Ngêmau Olympaidd Dinas Mecsico 1968. Ond roedd Lillian a'i hyfforddwr yn bryderus am yr amodau rhedeg yno. Roedd y ddinas wedi ei lleoli ar dir ddwywaith yn uwch na'r Wyddfa. Doedd dim amdani felly ond cyrraedd y ddinas dipyn cyn dechrau'r ras er mwyn cael cyfle i ddod i arfer â'r prinder ocsigen. Ond Lillian oedd y ffefryn clir i gipio'r fedal aur yn ras y 400m i ferched o hyd. Am 399m o'r 400m yn rownd derfynol y ras yn Ninas Mecsico, Lillian oedd ar y blaen. Ond, mewn diweddglo dramatig, fe ymddangosodd Colette Besson o Ffrainc a chipio'r fedal aur o drwch fest. Er bod Lillian yn hynod o siomedig a'r dagrau'n llifo lawr ei gruddiau, aeth yn ei blaen i longyfarch Besson cyn gadael y stadiwm. Wedi'r ras, dywedodd Besson mewn cyfweliad ar deledu *Canal Plus* mai'r ymarfer dwys ar diroedd uchel y Pyrénées a fu'n gyfrifol am ei buddugoliaeth.

Flwyddyn yn ddiweddarach, Lillian oedd enillydd ras yr 800m ym Mhencampwriaeth Ewrop yn Athen. Ond, o fewn rhai misoedd, daeth cadarnhad ei bod yn dioddef o gancr y coluddyn. Er teithio i glinig arbenigol yn ninas Munich yn yr Almaen yn y gobaith o gael triniaeth chwyldroadol, bu farw yn 1970 yn 22 oed. Yn rhyfedd iawn, cynhaliwyd y Gêmau Olympaidd ym Munich yn 1972 – dinas lle roedd Lillian Board wedi gobeithio ailgydio yn ei gobeithion Olympaidd. Bu farw Colette Besson hefyd o gancr yn y flwyddyn 2005.

Martyn Woodroffe

Martyn Woodroffe yn hapus i ddangos ei fedal arian

DINAS MECSICO 1968

DEUNAW MLWYDD OED OEDD Y NOFIWR IFANC O Gaerdydd, Martyn Woodroffe, pan enillodd fedal arian yng Ngêmau Olympaidd Dinas Mecsico 1968. Ras y 200m dull pili pala oedd y gystadleuaeth, a'r Cymro'n ennill y fedal ond 0.3 eiliad y tu ôl i'r enillydd, Carl Robie o'r Unol Daleithiau.

Y noson ar ôl buddugoliaeth Woodroffe, mae'n siŵr fod holl blant Caerdydd wedi brasgamu tua'r Empire Pool yn y ddinas, lle roedd y pencampwr yn ymarfer, i geisio efelychu ei gamp.

Yn dilyn ei lwyddiant yn Ninas Mecsico, llwyddodd Woodroffe hefyd i ennill un fedal aur a dwy fedal efydd yng Ngêmau'r Gymanwlad yng Nghaeredin yn 1970.

Enw: **Martyn John Woodroffe**
Dyddiad geni: **8 Medi 1950**
Man geni: **Caerdydd, Cymru**
Taldra: **1.72m (5 troedfedd, 8 modfedd)**
Pwysau: **70kg (11 stôn)**
Camp: **Nofio 200m dull pilipala**

LLWYDDIANT OLYMPAIDD
DINAS MECSICO 1968: MEDAL ARIAN

Mark Spitz

Yr anhygoel Mark Spitz yn gwisgo un o'i fedalau

Yn arwain y ras dull pilipala

DINAS MECSICO 1968
MUNICH 1972

YN DDEG OED ROEDD MARK SPITZ YN CAEL EI gydnabod fel nofiwr gorau'r byd. Yn 1968, ac yntau'n ddeunaw oed, roedd yn meddu ar ddeg record byd. Oherwydd hynny, a'i lwyddiant yn y Gêmau Olympaidd, mae'n cael ei gydnabod fel un o'r nofwyr gorau erioed.

A Mark ond yn ddwy flwydd oed, symudodd y teulu o dalaith Califfornia yn yr Unol Daleithiau, i Hawaii. Gan fod pobol yr ynys yn treulio'r rhan fwyaf o'u hamser yn y môr (naill ai'n nofio neu'n syrffio) roedd yn naturiol y byddai'r bachgen yn datblygu'n nofiwr o fri. A dyna'n union a ddigwyddodd! Er i Mark a'r teulu ddychwelyd i Galiffornia wedyn, penderfynodd ganolbwyntio'n llwyr ar ei yrfa fel nofiwr.

Er gwaethaf yr holl recordiau byd, bu'n rhaid i Mark Spitz fodloni ar ddwy fedal aur yng Ngêmau Olympaidd Dinas Mecsico 1968, a hynny er iddo ddweud yn gyhoeddus cyn mynd y byddai'n dychwelyd i'w famwlad â chwe medal aur.

Cafodd fwy o lwyddiant yng Ngêmau Olympaidd Munich yn 1972. Synnwyd y byd gan ei gampau yno. Nid yn unig enillodd saith medal aur ond llwyddodd i dorri record byd ym mhob un o'r cystadlaethau!

Enw: **Mark Andrew Spitz**
Llysenw: **Mark the Shark**
Dyddiad geni: **10 Chwefror 1950**
Man geni: **Modesto, California, UDA**
Taldra: **1.85m (6 troedfedd, 1fodfedd)**
Pwysau: **73kg (11 stôn, 5 pwys)**
Camp: **Nofio**

LLWYDDIANT OLYMPAIDD
DINAS MECSICO 1968: 2 FEDAL AUR
MUNICH 1972: 7 MEDAL AUR

Munich

1972

Y gymnastwraig
Olga Korbut yn
dangos ei champau

Olga Korbut

MUNICH 1972
MONTREAL 1976

FE GWYMPODD PAWB MEWN CARIAD Â HON! Am flynyddoedd, roedd y Rhyfel Oer wedi bod yn gysgod trwm, heb lawer o Gymraeg yn bodoli rhwng gwledydd comiwnyddol fel Rwsia a gwledydd cyfoethog y Gorllewin. Yna, ymddangosodd y gymnastwraig o Belarus, Olga Korbut, ar y llwyfan Olympaidd gan swyno pawb â'i pherfformiadau anhygoel yn y gampfa. Roedd hi fel darn o lastig yn perfformio! Roedd hi'n gonsuriwr, yn glown ac yn gariad.

Mae un o'i symudiadau heriol, sef y *Korbut Flip*, yn dal yn enwog heddiw.

Enillodd fedalau aur yn y Gêmau Olympaidd ac ym Mhencampwriaethau'r Byd. O bosib, roedd merched eraill megis Ludmilla Tourischeva, Nadia Comăneci a Nellie Kim yn well yn dechnegol, ond roedd gan Olga bersonoliaeth fagnetig, a dyna oedd ei chyfrinach.

Enw: **Olga Valentinovna Korbut**
Llysenw: **Sparrow from Minsk**
Dyddiad geni: **16 Mai 1955**
Man geni: **Hrodna, Belarus**
Taldra: **1.52m (5 troedfedd)**
Pwysau: **39kg (6 stôn, 14 pwys)**
Camp: **Gymnasteg**

LLWYDDIANT OLYMPAIDD
MUNICH 1972: 3 MEDAL AUR A 2 FEDAL ARIAN
MONTREAL 1976: MEDAL AUR A MEDAL ARIAN

Olga Korbut yn cystadlu'n frwd yn y gampfa

Aleksandr Belov
o dîm Rwsia a'r sgôr
tyngedfennol

Stwffiwch Eich Medalau!

A HITHAU'N DAL YN GYFNOD Y RHYFEL OER, ROEDD dau bŵer mawr y cyfnod, sef Rwsia a'r Unol Daleithiau, ar fin mynd i ryfel ar gwrt pêl fasged yn yr Almaen. Roedd y tensiwn i'w deimlo o Moscow i Missouri, a'r chwaraewyr, fel pawb arall, yn ymwybodol o bwysigrwydd y canlyniad.

Ers i'r gystadleuaeth pêl fasged gael ei chynnwys gyntaf yn y Gêmau Olympaidd yn 1936, roedd yr Unol Daleithiau wedi ennill 62 gêm yn olynol a derbyn 7 medal aur. Roedd ganddyn nhw dîm cryf ym Munich hefyd.

ROWND DERFYNOL Y GYSTADLEUAETH PÊL FASGED TIMAU: UDA A RWSIA

Â thair eiliad ar ôl ar y cloc, roedd Rwsia ar y blaen o 49 i 48, ond llwyddodd yr Americanwyr i ennill y bêl ar eiliad dyngedfennol. Un bàs ac roedd Doug Collins yn brasgamu i gyfeiriad y rhwyd. Doedd dim dewis gan Zurab Sakandelidze – lloriodd y gŵr o Brifysgol Illinois a hwnnw o fewn dim i sgorio. A phenderfyniad y dyfarnwyr oedd dau dafliad rhydd.

Suddodd Collins y tafliad cyntaf heb unrhyw drafferth. Roedd y sgôr bellach yn gwbl gyfartal, 49 yr un. Wrth baratoi i geisio suddo'r ail, canodd hyfforddwr Rwsia'i gloch ar gyfer *time-out*, gyda dim ond tair eiliad o'r gêm yn weddill. Roedd hyn yn groes i'r rheolau. Doedd dim hawl galw *time-out* rhwng dau dafliad rhydd! Llwyddodd Collins unwaith eto. Yr Unol Daleithiau oedd ar y blaen, 50 i 49.

Ond, gyda thair eiliad yn dal ar y sgorfwrdd, taflwyd y bêl gan dîm Rwsia o du ôl i'r llinell gefn, ond rhyng-gipiwyd y bàs gan Americanwr. Fe ddechreuodd y dathlu o ddifri, ond mynnodd y dyfarnwyr fod y sgorfwrdd yn ddiffygiol a bod angen ail-ddechrau'r gêm.

Wedi rhai munudau o dawelu nerfau, dychwelodd y ddau dîm i'r cwrt ar gyfer y dair eiliad olaf. Rwsia oedd â'r bêl, a chydag un bàs sydyn gan Medestas Paulauskas bron i 30m at Aleksandr Belov, oedd yn sefyll yn ymyl y rhwyd, roedden nhw ar y blaen unwaith eto. Rwsia 51, yr Unol Daleithiau 50!

Doedd un o'r dyfarnwyr, Renaldo Righetto, ddim yn hapus â'r hyn a ddigwyddodd a gwrthododd lofnodi'r dudalen sgorio. Yn sicr, roedd llawer o bethau amheus wedi digwydd yn ystod y gêm ac oherwydd hynny, gwrthododd yr Unol Daleithiau â derbyn eu medalau arian. Dros ddeugain mlynedd yn ddiweddarach, mae'r dadlau am y gêm yn parhau.

Ar fwletin newyddion gorsaf radio leol yn Kansas, cyhoeddwyd mai'r Unol Daleithiau ddaeth yn ail a Rwsia'n olaf ond un!!!

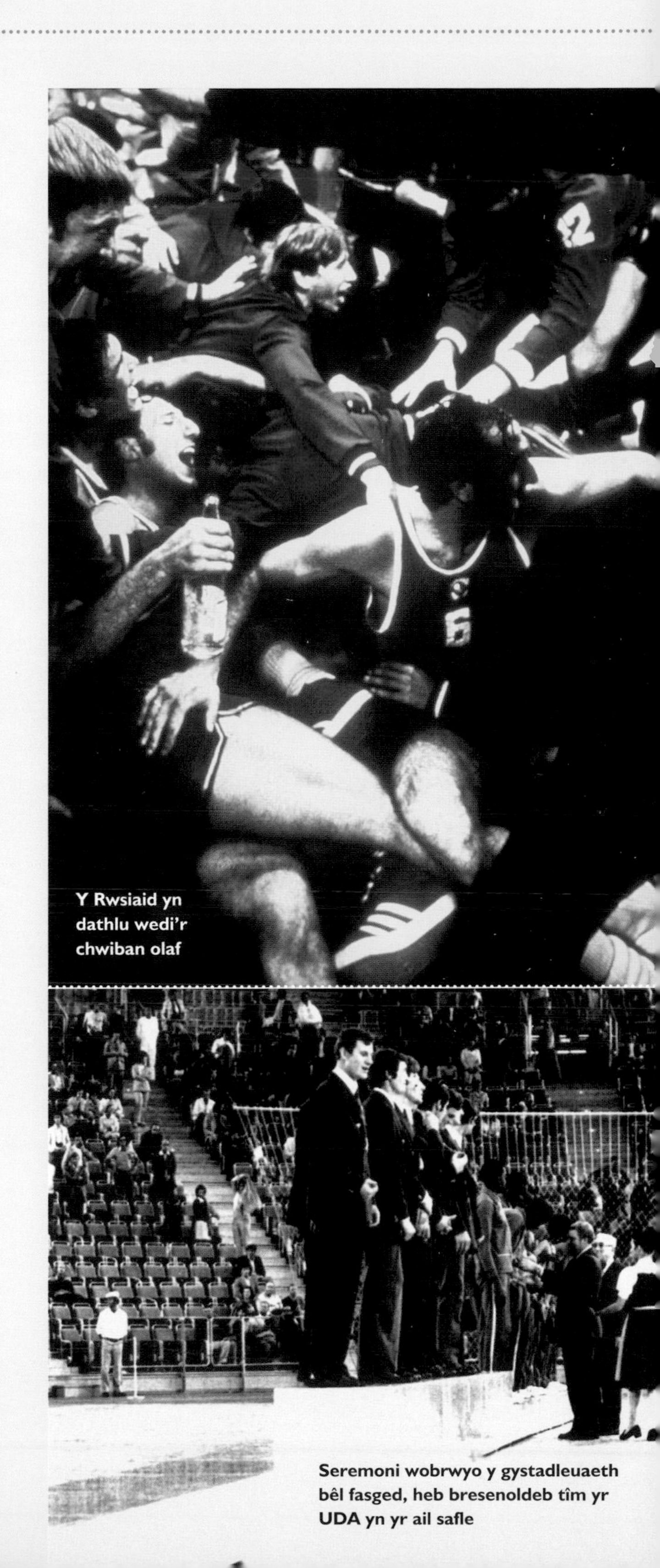

Y Rwsiaid yn dathlu wedi'r chwiban olaf

Seremoni wobrwyo y gystadleuaeth bêl fasged, heb bresenoldeb tîm yr UDA yn yr ail safle

Montreal

1976

Nadia Comãneci

MONTREAL 1976
MOSCOW 1980

NOD GYMNASTWYR AR HYD Y BLYNYDDOEDD YW anelu at berffeithrwydd drwy ymarfer ac ymarfer. Ond doedd neb erioed wedi meddwl am funud y byddai unrhyw un yn llwyddo i hawlio deg marc allan o ddeg am gyfres o symudiadau! Byddai hynny'n golygu fod pob rhan o'r corff, pob cyhyr, pob blewyn yn y man iawn i haeddu marciau llawn. Amhosib ac anghyraeddadwy oedd ymateb y gwybodusion. Dyna pam, siŵr o fod, nad oedd hyd yn oed y sgorfwrdd electronig yng Ngêmau Olympaidd Montreal yn 1976 wedi'i brosesu i ddangos sgôr o 10.0. Petai hynny'n digwydd yna sgôr o 1.0 fyddai'n ymddangos yn y gampfa Olympaidd ac ar sgrîns teledu ledled byd.

Ond dyna'n union a ddigwyddodd. A hithau ond yn 14 mlwydd oed, llwyddodd Nadia Comãneci, y ferch swil, ddiymhongar o Rwmania, berffeithio'i symudiadau ar y bariau anghyfartal. Derbyniodd y sgôr uchaf posib gan bob un o'r beirniaid a hynny am y tro cyntaf yn hanes y gamp. Roedd ei pherfformiadau yn rhai o'r campau gymnasteg eraill hefyd yn arbennig, a dychwelodd adref ar ddiwedd y Gêmau gyda thair medal aur. Roedd y byd a'r betws wedi gwirioni arni. Nadia Comãneci oedd seren Gêmau Olympaidd Montreal 1976, a bu'n llwyddiannus iawn eto yng Ngêmau Olympaidd Moscow 1980, cyn iddi ymddeol yn 1981.

Ffoi o Romania i'r Unol Daleithiau wnaeth Nadia ddiwedd y 1980au a gwneud ei chartref yn nhalaith Oklahoma lle mae hi a'i gŵr yn llwyddiannus iawn ym myd busnes. Mae hi hefyd yn enwog am hyfforddi gymnastwyr ifanc y dyfodol a chefnogi nifer fawr o elusennau. Hyn oll ar ôl i hyfforddwraig gymnasteg, Béla Károlyi, weld Nadia'n olwyndroi ar stryd yn Onesti!

Nadia Comãneci ar ei mwyaf gosgeiddig

Enw: **Nadia Elena Comãneci**
Dyddiad geni: **12 Tachwedd 1961**
Man geni: **Onesti, Romania**
Taldra: **1.63m (5 troedfedd, 4 modfedd)**
Pwysau: **40kg (6 stôn, 3 pwys)**
Camp: **Gymnasteg**

LLWYDDIANT OLYMPAIDD
MONTREAL 1976: 3 MEDAL AUR, MEDAL ARIAN, MEDAL EFYDD
MOSCOW 1980: 2 FEDAL AUR, 2 FEDAL ARIAN

Ed Moses

MAE RECORD YR ATHLETWR ED MOSES YN SICR O sefyll prawf amser. Yn rhyfeddol, mewn cyfnod o 9 mlynedd, 9 mis a 9 diwrnod, rhedodd yr Americanwr (oedd â cham o 9 troedfedd a 9 modfedd) ras y 400m dros y clwydi 122 o weithiau'n ddiguro!
Ffiseg a pheirianneg oedd prif ddiddordeb Ed Moses. Dilynodd gwrs yng Ngholeg Morehouse yn Atlanta ar ôl ennill ysgoloriaeth academaidd.

Roedd yn rhedwr greddfol, wedi hyfforddi'i hun yn ei amser sbar. I bob pwrpas, cyn torri record y byd yn Montreal yn 1976 gan ennill y ras o ryw 8m, doedd neb yn gwybod fawr ddim amdano. Hon oedd ei gystadleuaeth ryngwladol gyntaf un, a'i unig sylw ar ôl cipio'r fedal aur oedd dweud cymaint oedd yr holl waith paratoi ar gyfer y gystadleuaeth wedi amharu ar ei adolygu ar gyfer arholiadau'r brifysgol.

Cyfrinach llwyddiant Moses oedd y ffaith iddo berffeithio patrwm o dri cham ar ddeg rhwng y clwydi. Yn ddiweddarach yn ei yrfa rhedai rhan gyntaf y ras yn gwbl ddidrafferth ag ond deuddeg cam rhwng y clwydi.

Daeth ail fedal aur i Ed Moses yn Los Angeles yn 1984 ac onibai am benderfyniad yr Unol Daleithiau i wrthod teithio i Moscow yn 1980 ar ôl i fyddinoedd Rwsia ymosod ar Afghanistan, mae'n siŵr y byddai wedi cipio tair medal Olympaidd yn olynol. Ar ôl ymddeol, gweithiodd Moses yn ddiflino ar ran ei gyd-athletwyr. Ymysg pethau eraill, gwnaeth lawer i hybu profion cyffuriau rheolaidd i wahardd drwgweithredwyr.

Enw: **Edwin Corley Moses**
Dyddiad geni: **31 Awst 1955**
Man geni: **Dayton, Ohio, UDA**
Taldra: **1.76m (5 troedfedd, 8 modfedd)**
Pwysau: **61kg (9 stôn, 6 pwys)**
Camp: **400m dros y clwydi**

LLWYDDIANT OLYMPAIDD
MONTREAL 1976: MEDAL AUR
LOS ANGELES 1984: MEDAL AUR
SEOUL 1988: MEDAL EFYDD

1980 Moscow

MARILYN PUGH

1980 oedd y flwyddyn gyntaf erioed i hoci merched gael ei chwarae yn y Gêmau Olympaidd a Phrydain oedd y ffefrynnau clir i gipio'r fedal aur yn y gystadleuaeth i ferched. Roedd pedair o Gymru yn y garfan sef y capten Anne Ellis, Shirley Morgan, Sheila Morrow a Marilyn Pugh a'r bedair yn chwaraewyr allweddol a dylanwadol i obeithion Prydain. Ffurfiwyd y tîm yn benodol ar gyfer Gêmau Olympaidd Moscow a mawr oedd y cyffro. Roedd y tîm o fewn wythnosau i

Top: Marilyn Pugh yng ngwisg swyddogol Tîm Hoci Cymru
Gwaelod: Y Marilyn ifanc

adael pan benderfynodd y Gymdeithas Hoci Brydeinig wahodd y chwaraewyr a'r swyddogion i gyfarfod hollbwysig yn sgîl ymosodiad Rwsia ar Afghanistan.

'We must back the government… They've advised us to withdraw.' Datganiad gan gadeiryddes y pwyllgor, Mrs Mary Dick.

A dyna a ddigwyddodd. Ond roedd y penderfyniad yn un torcalonnus i'r chwaraewyr. Hyd yn oed heddiw, ddeng mlynedd ar hugain yn ddiweddarach, mae Marilyn Pugh yr un mor chwerw ag erioed ynglŷn â'r penderfyniad. Oherwydd, heblaw am y tîmau hoci a'r tîm marchogaeth, mynd i'r Gêmau Olympaidd wnaeth yr athletwyr eraill i gyd.

Ond, ffrwynodd y profiad annifyr hwnnw ddim mo awch Marilyn Pugh i chwarae hoci. Fe enillodd 90 o gapiau rhyngwladol dros Gymru yn ogystal â 25 o gapiau dros Brydain gan deithio i bedwar ban byd o Frasil ac Ariannin i Singapore a Chanada. Yr atgof cynharaf sydd ganddi yw'r gêm honno yn Limerick yn erbyn Iwedddon a hithau'n cynrychioli Cymru am y tro cyntaf. Roedd y cae mewn cyflwr truenus - fel petai JCB wedi bod yn tyrchu ffosydd ynddo.

Heb unrhyw amheuaeth roedd Marilyn Pugh yn un o chwaraewyr hoci gorau'r byd. Roedd hi'n asgellwraig dde ddawnus oedd wedi hen arfer gwau patrymau cymhleth rhyngddi hi â'r amddiffyn. Roedd ei ffon hoci'n estyniad naturiol o'i braich ac roedd ei chyflymdra pur dros y llathenni cyntaf yn ei chario'n glir oddi wrth unrhyw wrthwynebydd. Petai'r tîm wedi cael chwarae yn Moscow fe fyddai merch ifanc wedi dychwelyd i Frynaman â medal aur Olympaidd.

Cystadlu brwd rhwng Sebastian Coe a Steve Ovett

Sebastian Coe a Steve Ovett

MOSCOW 1980

BUTCH CASSIDY A'R SUNDANCE KID, HILLARY A Tenzing, Lennon a McCartney, Tate a Lyle, Rolls a Royce – dyma rai o bartneriaethau enwocaf hanes. Ond mae yna rai enwog o fyd y campau hefyd. Cysylltir Sebastian Coe a Steve Ovett am eu bod yn rhedwyr pellter canol o fri, yn cystadlu yn yr un cyfnod, ac yn hannu o'r un wlad. Ond yn wahanol i'r parau uchod, y gystadleuaeth a'r elyniaeth rhwng y ddau oedd y rheswm fod sôn amdanyn nhw dan yr un anadl.

Gŵr soffistigedig oedd Sebastian Coe, yn dwlu ar holl sylw'r wasg. Dros chwe wythnos yn ystod haf 1979, llwyddodd i sefydlu record byd am redeg 800m, 1500m a'r filltir. Steve Ovett, ar y llaw arall, oedd gŵr drwg byd y campau, yn casáu'r wasg a'r cyfryngau ac yn cynrychioli'r dosbarth gweithiol. Roedd ganddo gysylltiad â Chymru hefyd gan ei fod yn ymarfer yn rheolaidd ar y twyni tywod ym Merthyr Mawr ger Pen-y-bont.

Steve Ovett ar ben ei ddigon ar ôl ennill y fedal aur yn ras yr 800m

Enw: **Sebastian Newbold 'Seb' Coe**
Dyddiad geni: **29 Medi 1956**
Man geni: **Chiswick, Llundain**
Taldra: **1.75m (5 troedfedd, 9 modfedd)**
Pwysau: **54kg (8 stôn, 5 pwys)**
Camp: **Rhedeg 800m a 1500m**

LLWYDDIANT OLYMPAIDD
MOSCOW 1980: MEDAL AUR A MEDAL ARIAN
LOS ANGELES 1984: MEDAL AUR A MEDAL ARIAN

Enw: **Stephen Michael 'Steve' Ovett**
Dyddiad geni: **9 Hydref 1955**
Man geni: **Brighton, Lloegr**
Taldra: **1.83m (6 troedfedd)**
Pwysau: **70kg (11 stôn)**
Camp: **Rhedeg 800m a 1500m**

LLWYDDIANT OLYMPAIDD
MOSCOW 1980: MEDAL AUR A MEDAL EFYDD

Daeth uchafbwynt i'r cystadlu rhwng Coe ac Ovett yng Ngêmau Olympaidd Moscow 1980. Ras yr 800m oedd hoff gamp Coe ac er bod wyth o redwyr yn y rownd derfynol roedd sylw pawb ar y gystadleuaeth rhyngddo ef ac Ovett. Doedd y ddau ddim yn herio'i gilydd yn aml, gan osgoi ei gilydd fel y pla du a chanolbwyntio'n llwyr ar gystadlu'n erbyn y cloc.

Aros yn y cefn yn cwrso'r gweddill oedd tacteg y ddau yn ystod lap gyntaf y ras gan ddisgwyl am gyfle i fynd i'r blaen yn ystod yr ail lap. Â 100m yn weddill, brasgamodd Ovett i'r blaen fel cath o dân ac ennill y ras yn gymharol gyfforddus gan adael Coe yn straffaglu y tu ôl iddo. Ar ôl y ras, dywedodd Seb Coe:

'Fe ddewisais i rownd derfynol Olympaidd i redeg ras waethaf fy mywyd.'

Erbyn rownd derfynol y 1500m, roedd Steve Ovett yn hyderus. Wedi ennill un fedal aur, roedd hefyd wedi ennill pob un o'i rasys dros y pellter ers mis Mai 1977. Ond, roedd Coe hefyd wedi concro'i siom ac wedi penderfynu brwydro i'r eithaf.

Enillwyd y ras yn y 200m olaf. Yr Almaenwr Jürgen Straub oedd ar y blaen ond roedd digon o egni gan Coe i wibio heibio iddo. Er i Straub ac Ovett wneud eu gorau glas i geisio cau'r bwlch, doedd Coe ddim yn bwriadu ildio cam ac aeth yn ei flaen i ennill y fedal aur. Llwyddodd Sebastian Coe am yr eildro yn ras y 1500m yng Ngêmau Olympaidd Los Angeles 1984 – yr unig ŵr i amddiffyn coron y 1500m Olympaidd.

Erbyn heddiw, yr Arglwydd Coe yw cadeirydd y pwyllgor sy'n trefnu Gêmau Olympaidd Llundain 2012.

Tessa Sanderson yn cystadlu yng nghystadleuaeth y waywffon i ferched

Los Angeles 1984

Tessa Sanderson a Merlene Ottey

Dwy sydd wedi cystadlu droeon yn y Gêmau Olympaidd yw Tessa Sanderson a Merlene Ottey. Tessa oedd y ferch ddu gyntaf o Brydain i gystadlu yn y Gêmau Olympaidd nôl yn 1976 a'r unig ferch o Brydain i gipio medal aur yn y cystadlaethau taflu. Yn ogystal â'i gallu fel athletwraig roedd hi'n osgeiddig ac yn meddu ar bersonoliaeth heintus, ffwrdd-â-hi. Roedd hi'n edrych yn wahanol iawn i'r merched eraill digon gwrywaidd a chyhyrog yr olwg oedd yn cystadlu yn ei herbyn gyda'r waywffon.

CYSTADLU YN Y GWAED

AWR FAWR TESSA SANDERSON OEDD GÊMAU Olympaidd Los Angeles 1984. Fatima Whitbread, merch arall o Brydain, oedd y ffefryn i gipio'r fedal aur, ac roedd yna dipyn o gystadleuaeth, os nad gelyniaeth, wedi datblygu rhwng y ddwy. Ond cafodd pawb eu synnu pan daflodd Sanderson y waywffon i bellter o 69.56m gyda'i hymgais gyntaf un. Sefydlodd record Olympaidd a sicrhau medal aur. Aeth yn ei blaen i gystadlu am y chweched tro yng Ngêmau Olympaidd yn Atlanta yn 1996 a hithau'n 40 oed!

Enw: **Theresa 'Tessa' Ione Sanderson**
Dyddiad geni: **14 Mawrth 1956**
Man geni: **St Elizabeth, Jamaica**
Taldra: **1.69m (5 troedfedd, 6 modfedd)**
Pwysau: **69kg (10 stôn, 8 bwys)**
Camp: **Taflu'r waywffon**

LLWYDDIANT OLYMPAIDD
LOS ANGELES 1984: MEDAL AUR

Enw: **Merlene Ottey**
Dyddiad geni: **10 Mai 1960**
Man geni: **Hanover, Jamaica**
Taldra: **1.73m (5 troedfedd 7 modfedd)**
Pwysau: **62kg (9 stôn, 7 pwys)**
Camp: **Rhedeg 100m a 200m**

LLWYDDIANT OLYMPAIDD
MOSCOW 1980: MEDAL EFYDD
LOS ANGELES1984: 2 FEDAL EFYDD
BARCELONA1992: MEDAL EFYDD
ATLANTA 1996: 2 FEDAL ARIAN A MEDAL EFYDD
SYDNEY 2000: MEDAL ARIAN A MEDAL EFYDD

UN ARALL A FU WRTHI'N CYSTADLU AM flynyddoedd lawer oedd Merlene Ottey o ynys Jamaica, sydd bellach yn byw yn Slovenia. Yn rhyfeddol roedd hi'n aelod o dîm cyfnewid 4 x100m Slofenia ym Mhencampwriaethau Ewrop a hithau'n 50 oed. Yn ystod ei gyrfa, cipiodd naw medal Olympaidd, tair medal arian a chwe medal efydd a hynny mewn pump lleoliad o Moscow yn 1980 i Sydney yn 2000. Daeth o fewn trwch aden gwybedyn i hawlio medal aur yn Atlanta yn 1996 pan ddaeth yn ail i'r Americanes Gail Devers – gyda 5/1000 o eiliad yn eu gwahanu. Byddai medal aur wedi bod yn goron ar y cyfan ond roedd y cystadlu llawn bwysiced â'r llwyddiant i Merlene Ottey.

Tessa Sanderson yn paratoi i daflu'r waywffon

Merlene Ottey'n arwain ras y 200m

Daley Thompson

Daley Thomson yn rhoi o'i orau yng nghystadleuaeth taflu'r pwysau yn y decathlon

Enw: **Francis Morgan Ayodélé 'Daley' Thompson**
Dyddiad geni: **30 Gorffennaf 1958**
Man geni: **Notting Hill, Llundain**
Taldra: **1.84m (6 troedfedd)**
Pwysau: **92kg (14 stôn, 4 pwys)**
Camp: **Y decathlon**

LLWYDDIANT OLYMPAIDD
MOSCOW 1980 : MEDAL AUR
LOS ANGELES 1984: MEDAL AUR

UN O ATHLETWYR GORAU'R GORFFENNOL.
Un o athletwyr gorau'i gyfnod. Un o'r athletwyr gorau erioed.

Roedd tad Daley yn enedigol o Nigeria a'i fam yn Albanes, ond gwahanu wnaeth y ddau pan oedd eu mab yn saith oed. Yn dilyn marwolaeth ei dad mewn amgylchiadau trist anfonwyd y Daley ifanc, bywiog, i ysgol breswyl yn Sussex. O'r cychwyn cyntaf sylweddolodd y staff ei fod yn athletwr dawnus a thalentog. Roedd e'n gystadleuydd brwd a chanddo agwedd benderfynol a phenstiff. Dyma a'i helpodd i fynd ymlaen i feistroli deg camp wahanol o fewn y byd athletau ar gyfer cystadleuaeth y decathlon.

Mae'r decathlon yn mynd 'nôl i gyfnod ymhell cyn Crist ac i'r cystadlu yn Olympia a Delphi. Yn ôl y Groegiaid, crewyd y campau i ganfod yr athletwr mwyaf cyflawn. Hyd yn oed heddiw cydnabyddir fod enillwyr y gystadleuaeth yn haeddu pob anrhydedd posib.

Yn y Gêmau Olympaidd modern, Jim Thorpe oedd y gŵr wnaeth osod y safon yng nghystadleuaeth y decathlon yn Stockholm yn 1912; llwyddodd Bob Mathias i ennill medalau aur yn Llundain a Helsinki cyn i Daley osod ei stamp ar y gystadleuaeth ar ddiwedd y 1970au a dechrau'r 1980au. Yn ystod ei yrfa, daeth i'r brig yn sgîl ei allu naturiol a'i garisma heintus. Fel yr eglurodd ei gyfaill yr Arglwydd Sebastian Coe:

'Roedd Daley'n athletwr pernderfynol. Doedd ennill ddim yn ddigon; ei fwriad oedd chwalu pob gwrthwynebydd.'

Yn ystod ei yrfa cymerodd Daley ran mewn 31 cystadleuaeth decathlon, gan ennill wyth medal aur ac un fedal arian mewn gwahanol bencampwriaethau a thorri record y byd bedair gwaith yn ystod ei yrfa. O'r pump cystadleuaeth decathlon a gynhaliwyd ym

Daley Thompson yn mwynhau cymeradwyaeth y dorf enfawr ar ddiwedd y gystadleuaeth

Un ymdrech olaf i gyrraedd y llinell derfyn

Mhrydain yn ystod y cyfnod hwn, trefnwyd pedair yng Nghymru, lle'r enillodd ei ddecathlon cyntaf yng Nghwmbrân yn 1975.

Ond Gêmau Olympaidd Los Angeles 1984 oedd awr fawr Daley Thompson. Yno, roedd y frwydr fawr rhynddo ef â'r Almaenwr, Jurgen Hingsen. Roedd Hingsen yn ddifrifol ac yn hyderus a Thompson yn bwerus ac mor hapus â'r dydd.

'Pam treulio Dydd Nadolig yn rhedeg, neidio a thaflu?'
oedd cwestiwn un gohebydd i Daley.
'Oherwydd mod i'n gw'bod nad yw Jurgen Hingsen yn ymarfer dros yr ŵyl,'
oedd ei ateb bachog.

Roedd hi'n glasur o gystadleuaeth yn 1984 ac hyd yn oed heddiw mae Daley'n bendant mai un tafliad ac un naid seliodd y fuddugoliaeth. Yng nghystadleuaeth y ddisgen, llwyddodd Hingsen i gyrraedd pellter o 50.59m. Daeth awgrym o wên i wyneb yr Almaenwr wrth i'r pellter gael ei gadarnhau. Oedd hi ar ben ar obeithion Daley? Ddim o bell ffordd! 37.79m oedd ei dafliad cyntaf, 41.14m oedd ei ail ac yn rhyfeddol taflodd y ddisgen dros 46.33m ar ei drydydd tafliad i achub y dydd. Roedd yr adrenalin yn llifo yn ei wythiennau. Funudau'n ddiweddarach neidiodd Daley dros 4.88m dros y bar â'i bolyn a dathlu drwy daflu'i hun tîn dros ben ar y llwyfan glanio.

Erbyn diwedd yr ail ddiwrnod o gystadlu, roedd cyfanswm ei sgôr, sef 8847 pwynt, yn uwch na'r un cystadleuydd arall a chipiodd y fedal aur a record y byd!

Cofiwch, pan benderfynodd Daley Thompson gystadlu yn Seoul yn 1988 a Barcelona yn 1992, ac yntau'n gwybod fod henaint ac anafiadau'n broblem iddo, dangosodd i'r byd a'r betws ei fod hefyd yn gollwr cwrtais a bonheddig.

Carl Lewis

LOS ANGELES 1984
SEOUL 1998
BARCELONA 1992
ATLANTA 1996

Enw: **Frederick Carlton 'Carl' Lewis**
Dyddiad geni: **1 Gorffennaf 1961**
Man geni: **Birmingham, Alabama, UDA**
Taldra: **1.91m (6 troedfedd, 3 modfedd)**
Pwysau: **81kg (12 stôn, 8 pwys)**
Camp: **Rhedeg 100m, 200m a'r naid hir**

LLWYDDIANT OLYMPAIDD
LOS ANGELES 1984: 4 MEDAL AUR
SEOUL 1998: 2 FEDAL AUR A MEDAL ARIAN
BARCELONA 1992: 2 FEDAL AUR
ATLANTA 1996: MEDAL AUR

Y canolbwyntio caled wrth dderbyn y baton wrth Calvin Smith

MAE GOR-DDWEUD YN ARF CYFFREDIN GAN y sylwebydd chwaraeon cyfoes. Mae pawb y ddyddiau yma'n *athletwr o fri* neu'n *bencampwr heb ei ail*. Mae rhai wrth gwrs yn meddu ar athrylith yr artist – Usain Bolt, Muhammad Ali, Rafael Nadal, Lionel Messi, Shane Williams ac yn bendant, Carl Lewis.

Gêmau Olympaidd Los Angeles 1984 a'r gwres llethol yn toddi a chymylu delweddau lliwgar y camerâu teledu: Valerie Brisco-Hookes, Evelyn Ashford, Tessa Sanderson, Edwin Moses, Daley Thompson, Sebastian Coe – yn ôl rhai athletwyr gorau cenhedlaeth gyfan. A Carl Lewis, yn ei ddinas enedigol – o bosib, y gorau oll. Yn dechnegol, roedd pob cyhyr yng nghorff Carl Lewis yn gweithio mewn cytgord pan oedd yn rhedeg – ei ben-glin yn uchel a phwerus a'i freichiau ar ongl naw deg gradd union. Roedd ganddo rythm diymdrech a phwer yr athletwr a chydbwysedd gymnastwr.

Ond 'nôl i'r Coliseum yn Los Angeles yn 1984. Yn rownd derfynol ras y 100m, aeth Sam Graddy a Ben Johnson ar y blaen o ryw fetr neu ddwy ac roedd Lewis yn dal i gwrso ar ôl hanner ffordd. Ond yna, wrth i'r saith arall arafu a dechrau blino, daeth Lewis yn bwerus a llyfn a chipiodd y fedal aur yn gymharol hawdd. Ymlaciodd rhyw 10m o'r llinell derfyn. Ond nid dyna'r arwyddocâd mwyaf. Drwy ennill ras y 100m, y 200m, y naid hir a'r ras gyfnewid 4 x 100m, roedd Lewis ar drywydd record Jesse Owens a sefydlwyd bron hanner can mlynedd ynghynt. Er gwaethaf siom y dorf mai unwaith yn unig y neidiodd Lewis yn rownd derfynol y naid hir er mwyn cadw'i egni, gan osgoi herio record byd Bob Beamon, roedd pawb yn falch iawn o lwyddiant eu harwr newydd.

Mae record gyrfa Carl Lewis dros bymtheg mlynedd fel athletwr yn anghredadwy: 9 medal aur Olympaidd ac 8 medal aur ym Mhencampwriaethau'r Byd. Llwyddodd i gyflawni hyn wrth gystadlu'n erbyn gwibwyr eraill o safon arbennig, yn cynnwys Leroy Burrell, Calvin Smith, Ben Johnson, Linford Christie, Donovan Bailey, Mike Powell, Ivan Pedroso ac eraill, a hynny mewn campau lle roedd 0.01 eiliad yn gallu golygu'r gwahaniaeth rhwng medal aur a medal efydd. Dyma pam y cafodd deitl 'Olympiad y Ganrif' gan y Pwyllgor Athletaidd Rhyngwladol.

Erbyn heddiw, mae Carl Lewis yn actor llwyddiannus ac yn ymgeisydd democrataidd ar gyfer Senedd yr Unol Daleithiau.

Y rhyddhad ar wyneb Carl Lewis wrth ennill ras y 4 x 100m

Seoul

1988

Steve Redgrave ac Andy Holmes yn dathlu ennill y fedal aur

Syr Steve Redgrave

LOS ANGELES 1984
SEOUL 1988
BARCELONA 1992
ATLANTA 1996
SYDNEY 2000

CAWR. YN FEDDYLIOL AC YN GORFFOROL. AC MAE ei lwyddiant anhygoel yng nghystadlaethau rhwyfo'r Gêmau Olympaidd yn dyst i hynny. Enillodd 5 medal aur yn olynol rhwng 1984 a 2000 – yng nghystadleuthau'r pedwarawd â llywiwr yn Los Angeles yn 1984, y parau heb lywiwr yn 1988, 1992 ac 1996 ac yna'r pedwarawd heb lywiwr yn Sydney yn 2000. Mae ei gamp yn fwy arbennig o gofio ei fod yn ddyslecsig, yn dioddef o glefyd y siwgr ac o lid y coluddyn.

Steve Redgrave mewn cynhadledd newyddion wedi'r cystadlu

Rhaid cofio fod Steve Redgrave, ar bob un achlysur, yn aelod o dîm ac yn dibynnu'n fawr ar gyfraniadau eraill. Serch hynny byddai'r gweddill yn cytuno fod Steve yn ddylanwad mawr arnyn nhw. Wrth sôn am ei lwyddiant, meddai:

'Bachan cyffredin o'n i, oedd yn gallu mynd yn glou mewn cwch!'

Mae rhwyfo'n grefft sy'n dreth ar y corff a'r ysbryd. Clywir storïau am rwyfwyr yn gorfod dioddef dŵr yr afon yn rhewi'n gorn ar eu dillad wrth ymarfer i berffeithio'u camp. Yna, treulio oriau yn y gampfa'n codi pwysau cyn symud ymlaen i'r ergomedr, sef y peiriant rhwyfo dieflig.

Anodd credu i 6.5 miliwn o wylwyr gasglu o flaen eu setiau teledu yn gynnar y bore wrth i Steve Redgrave a'i griw gystadlu yn rownd derfynol eu ras yn Sydney yn 2000 wrth iddo gipio'r fedal aur am y pumed tro. Dyma'r gŵr a ddywedodd yn gyhoeddus yn dilyn llwyddiant Atlanta yn 1996:

'Os welwch chi fi mewn cwch eto, saethwch fi!'

Heb os, mae pum buddugoliaeth Olympaidd Syr Steve Redgrave ymysg gorchestion pennaf byd y campau.

Enw: **Steven Geoffrey Redgrave**
Dyddiad geni: **23 Mawrth 1962**
Man geni: **Marlow, Swydd Buckingham, Lloegr**
Taldra: **1.95m (6 troedfedd, 5 modfedd)**
Pwysau: **103kg (16 stôn, 2 bwys)**
Camp: **Rhwyfo**

LLWYDDIANT OLYMPAIDD
LOS ANGELES 1984: MEDAL AUR
SEOUL 1988: MEDAL AUR A MEDAL EFYDD
BARCELONA 1992: MEDAL AUR
ATLANTA 1996: MEDAL AUR
SYDNEY 2000: MEDAL AUR

Barcelona

1992

Seremoni agoriadol
Gêmau Olympaidd
Barcelona

Hassiba Boulmerka

BARCELONA 1992

YN DILYN YR AIL RYFEL BYD MERCHED O'R gwledydd Comiwnyddol oedd enillwyr cyson rasys pellter canol y byd athletau. Fe lwyddodd eraill fel Ann Packer, Madeline Manning, Mary Decker a Gabriella Dorio i ddod i'r brig, ond un merch arall a lwyddodd i adael ei marc dros y pellter hwn oedd Hassiba Boulmerka o Algeria. Daeth yn arwres genedlaethol ac yn arwres i wragedd Arabaidd oedd am gael eu rhyddhau o reolau caeth y mudiad Islamaidd traddodiadol, ar ôl ennill ei medal aur gyntaf ym Mhencampwriaethau'r Byd yn 1991. Roedd Boulmerka'n Foslem selog a chafodd ei chondemnio'n hallt gan rai am ei bod yn:

'dangos rhannau noeth o'i chorff o flaen miloedd o ddynion.'

Wedi lap cyntaf rownd derfynol y 1500m yng Ngêmau Olympaidd Barcelona 1992, Lyudmila Rogacheva o Rwsia oedd y ceffyl blaen a'i hamser o 60.66 eiliad yn ddigon i dorri calon ei gwrthwynebwyr – heblaw am Boulmerka. Dilynodd yr Affricanes hi fel cysgod ac â dim ond 200m yn weddill, aeth heibio iddi'n gwbl ddidrafferth ac ennill y ras yn gyfforddus. Sefydlodd record Affricanaidd newydd mewn amser o 3:55:30. Wrth groesi'r llinell derfyn gwaeddodd 'Algérie! Algérie!' a phwyntio â balchder at enw'i gwlad ar ei fest. Yn ddiweddarach dywedodd:

'Ro'n i'n gweiddi mewn llawenydd... yn gweiddi ar ran Algeria, ei balchder a'i hanes... ro'n i'n gweiddi dros bob un o wragedd Algeria... dros bob gwraig Arabaidd.'

Hassiba Boulmerka oedd y person cyntaf o Algeria i ennill medal aur Olympaidd. Ar ôl ymddeol o fyd atheltau, bu'n gweithio'n ddiflino dros hawliau merched yn y gwledydd Arabaidd.

Enw: **Hassiba Boulmerka**
Dyddiad geni: **10 Gorffennaf 1968**
Man geni: **Constantine, Algeria**
Taldra: **1.58m (5 troedfedd, 2 fodfedd)**
Pwysau: **49kg (7 stôn, 7 pwys)**
Camp: **Rhedeg 1500m**

LLWYDDIANT OLYMPAIDD
BARCELONA 1992: MEDAL AUR

Gail Devers

YN 1988 ROEDD YR ATHLETWRAIG GAIL DEVERS yn sâl iawn. Roedd y pennau tost, yr ysgafnder pen yn ogystal â'r ffaith ei bod hi'n ddall mewn un llygad yn achosi penbleth i'r arbenigwyr meddygol. Ar ôl darganfod ei bod yn dioddef o gyflwr Graves derbyniodd driniaeth ymbelydrol a gwellodd yr athletwraig ddawnus yn llwyr ymhen amser.

Yn rhyfeddol, er ei bod wedi colli dwy flynedd a hanner o ymarfer a chystadlu dychwelodd i fyd athletau yn llawn egni. Ras y 100m dros y clwydi oedd forte Gail Devers ond rywsut, er iddi ennill tair medal aur ym Mhencampwriaethau'r Byd yn Stuttgart 1993, Gothenburg 1995 a Seville 1999, methodd â gosod ei stamp ar y gystadleuaeth yn y Gêmau Olympaidd. Yn ras y 100m yn Barcelona 1992 y daeth hi i'r brig gan ennill ei medal aur gyntaf. Hon oedd y ras 100m agosaf erioed, gyda Devers, Juliet Cuthbert ac Irina Privalova yn gorffen mewn un llinell. Bu'n rhaid i'r swyddogion gymryd eu amser cyn dod i benderfyniad ynglŷn â'r canlyniad. Ar ôl astudio'r lluniau gwelwyd mai Devers oedd y buddugol. Yn ôl rhai roedd ei hewinedd hirion wedi'i chynorthwyo! Aeth ymlaen wedyn i ennill dwy fedal aur bellach yng Ngêmau Olympaidd Atlanta 1996, unwaith eto yn ras y 100m i ferched ac yn ras y 4 x 100m.

Enw: **Yolanda Gail Devers**
Dyddiad geni: **19 Tachwedd 1966**
Man geni: **Seattle, Washington, UDA**
Taldra: **1.62m (5 troedfedd, 3 modfedd)**
Pwysau: **52kg (8 stôn, 1 pwys)**
Camp: **Rhedeg 100m a 100m dros y clwydi**

LLWYDDIANT OLYMPAIDD
BARCELONA 1992: MEDAL AUR
ATLANTA 1996: 2 FEDAL AUR

Derek Redmond

BARCELONA 1992

MEWN UNRHYW GYSTADLEUAETH, NID Y CYFLYM a'r cryf sydd bob amser yn ennill y dydd. O safbwynt Gêmau Olympaidd Barcelona 1992, mae Derek Redmond yn cael ei gofio am orffen yn olaf yn ei ras – rai munudau ar ôl y gweddill. Ond, pan groesodd y llinell derfyn, cododd torf o 60,000 ar eu traed yn y stadiwm a chymeradwyo un o'r perfformiadau dewraf yn hanes y Gêmau Olympaidd. Roedd yr hyn a ddigwyddodd yn esiampl o wir arwriaeth ym myd y campau – Redmond yn gorwedd ar lawr ar ôl dim ond 200m o rownd gyn-derfynol ras y 400m ar ôl rhwygo llinyn y gâr.

Â'r ras bellach ar ben a'r rhedwyr yn gadael y stadiwm, llwyddodd Redmond i godi ar ei draed a symud yn boenus o araf i gyfeiriad y llinell derfyn. Yn y distawrwydd llethol a phawb yn syllu ar yr athletwr truenus, ymddangosodd Jim Redmond, tad Derek o ganol y dorf. Roedd wedi gwthio'i ffordd heibio i'r swyddogion diogelwch wrth ymyl y trac ac yn rhedeg i gyfeiriad ei fab oedd yn dal i ymdrechu i gyrraedd y llinell, gan wrthod cymorth oddi wrth y parafeddygon gerllaw.

Yn araf deg, â braich Jim o gwmpas ei fab, ymlwybrodd y ddau yn eu blaenau a chyrraedd diwedd y ras. Roedd y gymeradwyaeth yn fyddarol. Ond, cafodd Redmond ei ddiarddel gan nad oedd e wedi gorffen y ras ar ei ben ei hun. Ond i bawb a oedd yn bresennol yn Barcelona, ac i'r miliynau oedd yn gwylio ledled y byd, fe orffennodd Redmond y ras yn wir arwr.

Dangosodd Derek Redmond fod athroniaeth y Barwn Pierre de Coubertin yn dal mor fyw ag erioed – nid y cystadlu sy'n bwysig, ond y cymryd rhan.

Derek Redmond yn cael help gan ei dad i gyrraedd y llinell derfyn

Enw: **Derek Anthony Redmond**
Dyddiad geni: **3 Medi 1965**
Man geni: **Bletchley, Lloegr**
Taldra: **1.83m (6 troedfedd)**
Pwysau: **70kg (13 stôn)**
Camp: **Rhedeg 400m**

Iwan Thomas a Jamie Baulch yn cystadlu yn rownd derfynol ras y 4 x 400m

Atlanta 1996

Iwan Thomas a Jamie Baulch

ATLANTA 1996

Tîm 4 x 400m llwyddiannus Prydain: Jamie Baulch, Iwan Thomas, Mark Richardson a Roger Black

DAU O ATHLETWYR CYMREIG MWYAF CYSTADLEUOL eu cenhedlaeth oedd y rhedwyr Iwan Thomas a Jamie Baulch. Oherwydd i'r ddau gystadlu'n gyson yn erbyn ei gilydd a bod yn rhan o'r un tîmau cyfnewid yn aml iawn, mae'n deg sôn amdanyn nhw ar yr un gwynt.

Er i'r ddau gael eu geni y tu hwnt i Gymru, bu'r ddau'n cystadlu'n llwyddiannus iawn dros Gymru a Phrydain mewn llu o bencampwriaethau athletau rhyngwladol ar hyd a lled y byd. Roedd rhieni Iwan Thomas yn dod o Gymru a chafodd Jamie Baulch ei fagu gan rieni maeth yn Risca, ger Casnewydd.

Heb os, un o uchafbwyntiau gyrfa'r ddau oedd ennill medalau arian fel rhan o dîm 4 x 400m yng Ngêmau Olympaidd Atlanta 1996, gyda Mark Richardson a Roger Black, lai nag eiliad y tu ôl i dîm yr Unol Daleithiau a bron i dair eiliad o flaen tîm Jamaica a ddaeth yn drydydd. Daeth Iwan Thomas hefyd yn bumed yn ras y 400m i unigolion yn Atlanta. Er iddo gael ei ddewis i gystadlu eto yn Sydney yn 2000, methodd â gwneud hynny oherwydd anaf.

Enw: **Iwan Gwyn Thomas**
Dyddiad geni: **5 Ionawr 1974**
Man geni: **Farnborough, Llundain, Lloegr**
Taldra: **1.86m (6 troedfedd, 1 fodfedd)**
Pwysau: **85kg (13 stôn, 4 pwys)**
Camp: **Rhedeg 400m**

LLWYDDIANT OLYMPAIDD
ATLANTA 1996: MEDAL ARIAN

Enw: **Jamie Baulch**
Dyddiad geni: **3 Mai 1973**
Man geni: **Nottingham, Lloegr**
Taldra: **1.75m (5 troedfedd, 9 modfedd)**
Pwysau: **81kg (12 stôn, 8 pwys)**
Camp: **Rhedeg 200m a 400m**

LLWYDDIANT OLYMPAIDD
ATLANTA 1996: MEDAL ARIAN

Michael Johnson yn dathlu ei lwyddiant arbennig yng Ngêmau Olympaidd Atlanta

Michael Johnson

Enw: **Michael Duane Johnson**
Llysenw: **Duck (oherwydd ei steil rhedeg)**
Dyddiad geni: **13 Medi 1967**
Man geni: **Dallas, Texas, U.D.A**
Taldra: **1.85m (6 troedfedd, 1 fodfedd)**
Pwysau: **78kg (12 stôn, 3 pwys)**
Camp: **Rhedeg 200m a 400m**

LLWYDDIANT OLYMPAIDD
BARCELONA 1992: MEDAL AUR
ATLANTA 1996: 3 MEDAL AUR

FFOCWS! GAIR OEDD YN BERTHASOL I'R GWIBIWR 200m a 400m, Michael Johnson. Roedd e'n benderfynol o wneud yn dda yng Ngêmau Olympaidd Barcelona yn 1992 ond bu'n dioddef yn enbyd o wenwyn bwyd ar ôl ymweld â bwyty yn Salamanca yn Sbaen bythefnos cyn i'r Gêmau ddechrau. Â Johnson mor wan â brwynen bu'n rhaid iddo fodloni ar fedal aur yn ras gyfnewid y 4 x 400m yn hytrach na chreu cynnwrf ar y trac ar ei ben ei hun.

Ond roedd Gêmau Olympaidd Atlanta 1996 yn fythgofiadwy iddo ef a'i sgidiau rhedeg aur. Roedd bryd Johnson ar gyrraedd y brig yn ei gamp a chael ei gydnabod fel un o'r rhedwyr gorau erioed. Ei freuddwyd oedd creu hanes drwy ennill ras y 200m a'r 400m. Yn y gorffennol roedd nifer fawr wedi ennill ras y 100m a'r 200m yn y Gêmau Olympaidd ond doedd neb yng nghystadlaethau'r dynion wedi ennill y 200m a'r 400m. Enillodd Johnson y 400m heb chwysu'r un diferyn ond, ag yntau a saith arall wrthi'n cynhesu ar gyfer rownd derfynol y 200m, roedd y miloedd yn bresennol yn canolbwyntio ar ddigwyddiadau eraill. Hawliodd Carl Lewis y sylw drwy ennill cystadleuaeth y naid hir am y pedwerydd tro yn olynol ac yna, rhyw chwarter awr cyn awr fawr Johnson, llwyddodd Marie-José Pérec o Ffrainc gyflawni'r dwbwl drwy gipio'r fedal aur yn ras y 200m a'r 400m i ferched.

Os oedd Michael Johnson am gipio prif stori newyddion y noson ar CNN a Fox News a gwthio campau Lewis a Pérec i'r cefndir roedd angen iddo redeg ras y 200m yn yr amser gorau erioed. A dyna'n wir a wnaeth. Er iddo faglu rhywfaint dros y metrau cyntaf, o fewn dim roedd y ffefryn yn gwibio fel mellten, y pen a rhan uchaf y corff yn llonydd fel arfer. Yna, â 100m yn weddill, fe lwyddodd rywfodd, rywsut, i gyflymu – yn union fel petai gyrrwr Fformiwla Un wedi gosod troed ar y sbardun.

Erbyn hyn roedd y dorf yn fud, yn sylweddoli fod yr annisgwyl ar fin digwydd o flaen eu llygaid. Pan ymddangosodd yr amser ar y bwrdd electronig roedd y floedd yn fyddarol – 19.32 eiliad – y tro cyntaf erioed i'r ras gael ei rhedeg mewn llai nag 20 eiliad! Moesymgrymodd Ato Boldon, a gipiodd y fedal efydd, o flaen Johnson gan ddweud:

'19.32 – nid amser mewn ras 200m ond blwyddyn geni 'Nhad!'

Michael Johnson a'i steil rhedeg unigryw

Sydney

2000

Colin Jackson

SEOUL 1988
BARCELONA 1992
ATLANTA 1996
SYDNEY 2000

DOES DIM AMHEUAETH MAI COLIN JACKSON YW un o athletwyr gorau Cymru erioed. Fel rhedwr yn ras y 110m dros y clwydi, perfformiodd yn gyson yn erbyn pencampwyr y byd am ryw ddeuddeg mlynedd. Roedd e'n gwbl ymroddedig mewn ras lle roedd angen disgyblaeth lem.

Campau eithriadol Colin Jackson:

* 1 fedal aur a 3 medal arian ym Mhencampwriaethau Dan Do y Byd.
* 2 fedal aur ym Mhencampwriaethau Dan Do Ewrop.
* 2 fedal aur yng Ngêmau'r Gymanwlad yn Auckland yn 1990 a Victoria yn 1994 a dwy fedal arian yng Nghaeredin yn 1986 a Manceinion yn 2002.
* 4 medal aur yn olynol ym Mhencampwriaethau Athletau Ewrop rhwng 1990 a 2002.
* 2 fedal aur ym Mhencampwriaethau'r Byd yn Stuttgart yn 1993 a Seville yn 1999, 2 fedal arian yn Stuttgart 1993 ac Athen 1997 a medal efydd yn Rhufain yn 1987.
* 1 fedal arian Olympaidd yn Seoul.
* chwalu record y byd yn ras y 100m dros y clwydi ar ddau achlysur.

Colin Jackson ar ben ei ddigon ar ôl cystadlu

Ond rhaid cydnabod y ffaith fod Colin, fel sawl un arall, wedi tangyflawni adeg y Gêmau Olympaidd. Yn dilyn siom Barcelona yn 1992 pan orffennodd y ras yn y seithfed safle yn sgil mân anaf, profodd ei fod yn feistr ar ei grefft gan ryfeddu pawb ym Mhencampwriaethau'r Byd yn Stuttgart yn 1993. Yno, ymatebodd fel bwled o wn a chwalu'i wrthwynebwyr mewn perfformiad a ddisgrifiwyd fel:

'y gorau erioed o ran techneg, amser a phenderfyniad'.

Yn sicr, i ni'r Cymry ac i bobl ar draws y byd, mae Colin Jackson ymhlith cewri'r byd athletau am fod ganddo athrylith yr artist.

Enw: **Colin Ray Jackson**
Dyddiad geni: **18 Chwefror 1967**
Man geni: **Caerdydd, Cymru**
Taldra: **1.82m (5 troedfedd, 11½ modfedd)**
Pwysau: **75kg (11 stôn, 8 pwys)**
Camp: **Rhedeg 110m dros y clwydi**

LLWYDDIANT OLYMPAIDD
SEOUL 1988: MEDAL ARIAN

Athen

Kelly Holmes yn rhyfeddu at ei llwyddiant wrth ennill dwy fedal aur

2004

Enw: **Kelly Holmes**
Dyddiad geni: **19 Ebrill 1970**
Man geni: **Hildenborough, Caint, Lloegr**
Taldra: **1.64m (5 troedfedd 4.5 modfedd)**
Pwysau: **55kg (8 stôn, 6 pwys)**
Camp: **Rhedeg 800m a 1500m**

LLWYDDIANT OLYMPAIDD
SYDNEY 2000: MEDAL EFYDD
ATHEN 2004: 2 FEDAL AUR

MEDALAU ANNISGWYL!

Mae ambell ddigwyddiad ym myd y campau sy'n tynnu dŵr o'r dannedd. Dyna a gafwyd ar y trac ar benwythnos olaf Gêmau Olympaidd Athen 2004, wrth i Kelly Holmes gipio dwy fedal aur haeddiannol. Ac ar ôl gweld camp anhygoel y ferch o Gaint, ysbrydolwyd tîm cyfnewid y dynion yn ras y 4x100m hefyd.

Roedd llawer o feirniadu wedi bod ar wibwyr Prydain yn ystod Gêmau Olympaidd Athen am eu bod wedi tangyflawni. Serch hynny, roedd yna gyfle i'r rhedwyr daro 'nôl drwy berfformio'n dda ar y Sadwrn olaf. Yn y ras gyfnewid dros 100m i ddynion, yr Unol Daleithiau oedd y ffefrynnau clir; wedi'r cwbl roedd ei rhedwyr gyda'r gorau yn y byd. Ac roedd hanes o'u plaid. Y tro diwethaf i Brydain ennill y ras oedd 'nôl yn 1912 yn Stockholm gyda'r Cymro David Jacobs yn aelod o'r garfan. Bu'r Unol Daleithiau'n fuddugol bymtheg o weithiau ers hynny.

Tîm llwyddiannus Prydain a enillodd ras gyfnewid y 4 x 100m yn Athen yn groes i'r disgwyl

Mark Lewis-Francis, Jason Gardner a Marlon Devonish yn mwynhau'r dathlu ar ddiwedd y ras gyfnewid

Darren Campbell yn disgwyl cadarnhad o'r canlyniad ar y sgrîn fawr

Darren Campbell, Jason Gardener, Marlon Devonish a Mark Lewis-Francis oedd aelodau'r tîm cyfnewid ar y noson honno. Bu'r paratoadau munud olaf gyda'u hyfforddwr, Y Cymro, Steve Perks, yn rhai trylwyr a'r sgwrsio'n ddiflewyn-ar-dafod. Roedd y pedwar yn benderfynol o frwydro i'r eithaf er mwyn dangos mai gwibwyr Prydain oedd y gorau yn y byd. A thrwy ymdrech arwrol fe lwyddon nhw i wneud hynny'n annisgwyl gan ennill y ras mewn 38.07 eiliad a'r ffefrynnau, yr Unol Daleithiau, ganfed rhan o eiliad y tu ôl iddyn nhw!

'Mae gan chwaraeon y gallu i newid y byd, i ysbrydoli, y gallu i uno pobl mewn ffordd unigryw.' Nelson Mandela

Yelena Isinbayeva

Enw: **Yelena Isinbayeva**
Dyddiad geni: **3 Mehefin 1982**
Man geni: **Volgograd, Rwsia**
Taldra: **1.74m (5 troedfedd, 8.5 modfedd)**
Pwysau: **65kg (10 stôn)**
Camp: **Naid y polyn**

LLWYDDIANT OLYMPAIDD
ATHEN 2004: MEDAL AUR
BEIJING 2008: MEDAL AUR

ATHEN 2004
BEIJING 2008

'CHICKS ON STICKS' – DYNA SUT GAFODD cystadleuaeth y naid polyn i ferched ei disgrifio gan Stacy Dragila o'r Unol Daleithiau, enillydd y fedal aur yng Ngêmau Olympaidd Sydney 2000. Ond mae Yelena Isinbayeva, enillydd y fedal aur yn Athen 2004 a Beijing 2008 yn cael ei disgrifio hefyd fel 'y *diva* a'i *duvet*', gan ei bod hi, fel arfer, yn dod i gystadleuaeth naid y polyn yn llusgo *duvet* ar ei hôl! A dyna lle bydd hi'n gorwedd yn hamddenol o dan ei *duvet* wrth i'r cystadleuwyr eraill fynd drwy eu pethau. Mae'n amlwg fod hynny o help mawr iddi, gan iddi ddod i'r brig droeon mewn cystadlaethau dros y byd. Enillodd saith medal aur, dwy fedal arian ac un fedal efydd ym Mhencampwriaethau Ewrop a'r Byd ers 2002, yn ychwanegol at ei medalau Olympaidd.

Yn Beijing, enillodd hi'r fedal aur ar ôl dim ond dwy naid, gan gyrraedd uchder o 4.85m. Ond wedyn, treuliodd Yelena'r awr nesaf yn herio'i hun a herio'r bar. Roedd hi'n gwybod, ar ôl cipio'r fedal aur, fod yr adrenalin yn llifo drwy'i chorff. Â'r dorf o 100,000 yn llafarganu'i henw, codwyd y bar i uchder o 4.95m. Methodd ddwy waith. Ond ar ei thrydydd cynnig, cliriodd y bar gan sefydlu record Olympaidd newydd. Wedyn, ychwanegwyd 10cm i'r uchder a'i godi i 5.05m o'r ddaear. Rhedodd ar hyd y rhedfa, plannodd y polyn yn berffaith yn y ddaear, gwthiodd ei thraed ar gyflymdra i gyfeiriad yr awyr las uwchben, a chyda rheolaeth anhygoel dros ei chorff, cliriodd y bar a dathlu wrth ddisgyn i enwogrwydd ac anfarwoldeb. Record byd!

Clirio'r bar i gipio'r fedal aur

Beijing

TRI CHYNNIG I GYMRO!

Seremoni agoriadol Gêmau Olympiadd Beijing

Roedd yna elfen o sioc pan ddaeth y newyddion fod tri Chymro oedd, i bob pwrpas, yn enwau dieithr i'r mwyafrif, wedi ennill medalau yng Ngêmau Olympaidd Beijing yn 2008. Enillodd y rhwyfwyr Tom James a Tom Lucy fedalau aur ac arian yn eu tro ac fe gafodd y beiciwr Geraint Thomas fedal aur hefyd.

Enw: **Thomas 'Tom' James**
Dyddiad geni: **11 Mawrth 1984**
Man geni: **Caerdydd, Cymru**
Taldra: **1.90m (6 troedfedd, 2 fodfedd)**
Pwysau: **85kg (13 stôn, 4 bwys)**
Camp: **Rhwyfo**

LLWYDDIANT OLYMPAIDD
BEIJING 2008: MEDAL AUR

DERBYNIODD TOM JAMES O BENTREF COEDPOETH ger Wrecsam ei addysg yn Ysgol King's yng Nghaer ac yno ar yr afon Dyfrdwy bu wrthi'n meistroli'r grefft o rwyfo. Aeth yn ei flaen i Brifysgol Caergrawnt i astudio peirianneg a chystadlu bedair gwaith yn y ras gychod enwog yn erbyn Rhydychen ar y Tafwys. Bu hefyd yn aelod o Glwb Rhwyfo Leader yn Henley. Ei awr fawr oedd yng Ngêmau Olympaidd Beijing pan enillodd y pedwarawdau heb lywiwr y fedal aur mewn ras glòs, gystadleuol yn erbyn Awstralia. Llwyddodd Tom i ddilyn ôl traed Cymro arall sef Albert Gladstone o Sir y Fflint, mab y cyn-Brif Weinidog William Gladstone, a gipiodd fedal aur yn yr wythawdau yn Llundain yn 1908.

Enw: **Thomas 'Tom' David Lucy**
Dyddiad geni: **1 Mai 1988**
Man geni: **Bryste, Lloegr**
Taldra: **1.94m (6 troedfedd, 4 modfedd)**
Pwysau: **90kg (14 stôn, 2 bwys)**
Camp: **Rhwyfo**

LLWYDDIANT OLYMPAIDD
BEIJING 2008: MEDAL ARIAN

YSGOL TREFYNWY OEDD Y DYLANWAD MAWR ar fywyd a gyrfa'r rhwyfwr Olympaidd Tom Lucy o bentref Llangofen, Sir Fynwy. Yn dilyn ei lwyddiant yn Beijing pan gipiodd fedal arian yn yr wythawdau penderfynodd roi'r gorau i'r gamp a chanolbwyntio'n llwyr ar yrfa broffesiynol yn y Morlu Brenhinol.

Geraint Thomas yn gwibio ar ei feic

Enw: **Geraint Howell Thomas**
Dyddiad geni: **25 Mai 1986**
Man geni: **Caerdydd, Cymru**
Taldra: **1.83m (6 troedfedd)**
Pwysau: **70kg (11 stôn)**
Camp: **Beicio**

LLWYDDIANT OLYMPAIDD
BEIJING 2008: MEDAL AUR

FEL SAWL UN ARALL YN YSGOL YR EGLWYS Newydd yng Nghaerdydd, gan gynnwys y dawnus Gareth Bale a Sam Warburton, fe allai Geraint Thomas fod wedi dod i'r brig ar gaeau rygbi a phêl-droed. Ond, yn 10 oed, ymuno â Chlwb Beicio'r Maindy Flyers wnaeth e a chael ei hudo gan gyffro'r gamp a'r cyflymdra. O'r dechrau, roedd Nicole Cooke a Bradley Wiggins yn ysbrydoliaeth iddo. Mae'n barod hefyd i gydnabod ei ddyled i ddaearyddiaeth ardal Caerdydd a Chymru am ddatblygu'i dalent fel beiciwr. O fewn dim i'w gartref mae'r lôn serth i gyfeiriad Mynydd Caerffili yn ogystal â gelltydd a bryniau Bannau Brycheiniog, sy'n ddelfrydol ar gyfer ymarfer. Geraint oedd y cystadleuydd ieuengaf yn y *Tour de France* yn 2007 a'r Cymro cyntaf i gwblhau'r ras o gwmpas Ffrainc ers Colin Lewis yn 1967. Flwyddyn yn ddiweddarach cipiodd fedal aur yng Ngêmau Olympaidd Beijing fel rhan o'r tîm yn y ras ymlid (team pursuit). Yn ddiweddar mae e wedi cystadlu i dîm Sky yn y *Tour de France*. Mae ganddo farn bendant am y rhai sy'n cymryd cyffuriau o fewn y gamp:

'Mae angen gweithredu'n llym yn erbyn beicwyr sy'n gaeth i gyffuriau. Mae angen eu carcharu a'u gwahardd am byth.'

Mae'n siŵr y bydd Geraint Thomas ar y brig wrth gynrychioli Cymru yn ogystal â Phrydain yng Ngêmau Olympaidd Llundain 2012.

Cystadlu yn ras y pilipala

David Davies

Enw: **David Michael Rhys Davies**
Llysenw: **Dai Splash**
Man geni: **Y Barri, Cymru**
Dyddiad geni: **3 Mawrth 1985**
Taldra: **1.88m (6 troedfedd, 2 fodfedd)**
Pwysau: **72kg (11 stôn, 3 pwys)**
Camp: **Nofio**

LLWYDDIANT OLYMPAIDD
ATHEN 2004: MEDAL EFYDD
BEIJING 2008: MEDAL ARIAN

ATHEN 2004
BEIJING 2008

DOES DIM AMHEUAETH FOD Y CYMRO CYMRAEG David Davies yn wir seren yn ei gamp ei hun, sef nofio. Drwy ddawn, disgyblaeth a thipyn o ddewiniaeth, dros y blynyddoedd llwyddodd i guro'r goreuon mewn camp sydd fel arfer yn eiddo i gystadleuwyr o Awstralia, yr Unol Daleithiau a gwledydd Gogledd Ewrop. Ac er ei lwyddiant arbennig, mae David yn dal yn berson hollol ddiffuant a thawel.

Codi ben bore, ymarferion undonog, chwysu a dioddef – dyna fyd David Davies. Ond mae nofio cyfartaledd o 70 milltir yr wythnos yn amlwg wedi talu ar ei ganfed iddo. Canolbwyntio ar nofio pellter hir y mae David fwyaf, yn enwedig rasys 1500m dull rhydd a rasys 10km mewn dŵr agored.

Yn 19 mlwydd oed, fe gipiodd y Cymro'r fedal efydd yn ras y 1500m dull rhydd yng Ngêmau Olympaidd Athen 2004. Ei nod wedyn oedd cipio'r fedal aur yn Beijing 2008. Yno, trefnwyd un ras newydd sbon yn y calendr nofio, sef y ras nofio agored dros 10km. Yn y ras greulon honno, roedd David wedi nofio mor galed, gan arwain y ras am y rhan fwyaf ohoni, nes gorfod cael triniaeth feddygol yn syth wedyn. Mewn ras debyg ym Mhencampwriaethau'r Byd yn Seville hefyd yn 2008, collodd y fedal aur o 0.03 eiliad! Am gyffro!

Mae ei gasgliad o fedalau hyd yn hyn yn cynnwys medal arian a medal efydd o'r Gêmau Olympaidd, medal arian a dwy fedal efydd o Bencampwriaethau'r Byd, medal aur a medal efydd o Gêmau'r Gymanwlad a phedair medal arian o Bencampwriaethau Ewrop er 2002.

Enw: **Usain St. Leo Bolt**
Llysenw: **Lightning Bolt**
Man geni: **Trelawny, Jamaica**
Dyddiad Geni: **21 Awst 1986**
Taldra: **1.95m (6 troedfedd, 5 modfedd)**
Pwysau: **93.9kg (14.79 stôn)**
Camp: **Rhedeg 100m a 200m**

LLWYDDIANT OLYMPAIDD
BEIJING 2008: 3 MEDAL AUR

Usain Bolt ar gymal olaf ras gyfnewid y 4 x 100m dros dîm Jamaica

Cadarnhau ei record byd newydd yn ras y 200m

Usain Bolt

BEIJING 2008

YCHYDIG O BOBL Y TU FAS I'R CARIBÎ OEDD yn ymwybodol o botensial yr athletwr ifanc o ardal Trelawny ar ynys Jamaica. Fe gyrhaeddodd Beijing yn brin o ran profiad, ond o fewn llai na 10 eiliad, roedd hi'n hawdd gweld bod yna seren newydd yn y ffurfafen.

Un siawns sydd gan wibwyr i gipio medal aur Olympaidd. Un siawns bob pedair blynedd. Cyn ras y 100m roedd y mwyafrif o'r athletwyr yn paratoi drwy dwymo lan yn feddyliol ac yn gorfforol; rhai'n ymestyn y cyhyrau ac eraill yn sefyll yn yr unfan a chanolbwyntio'n llwyr ar y dasg. Roedd Bolt yn wahanol – y fest felen yn hongian yn llac dros y trowsus byr, camu'n sidêt i gyfeiriad y blocs, gwên lydan i'r dorf, fel petai e mewn jamborî yn Jamaica. Aeth 90,000 o bobol yn dawel; pob copa walltog yn llygadu'r cystadleuwyr.

Y RAS:

Bang! Ar ôl tua 40m roedd y rhedwyr mewn llinell syth ac yna Bolt yn newid gêr a gwneud i ni feddwl fod y gweddill wedi'u hangori mewn Marmite. Roedd y ras drosodd; gwagle sylweddol rhyngddo â'r cystadleuwyr eraill. Â 15m i'r llinell derfyn fe ddatblygodd y rhediad yn ddathliad – breichiau'n chwifio, pengliniau'n pistynnu. Rhedai fel cath i gythraul – disgrifiad cwbl addas ar gyfer Ferrari'r byd athletau.

Y CANLYNIADAU:

9.69 eiliad:
Record Olympaidd a record byd yn y 100m

19.30 eiliad:
Record Olympaidd a record byd yn y 200m

37.10 eiliad:
Record Olympaidd a record byd yn y 4 x 100m

USA
speedo

Michael Phelps

ATHEN 2004
BEIJING 2008

'Y nofiwr gorau erioed, y pencampwr Olympaidd gorau erioed, yr athletwr gorau erioed a'r cystadleuydd gorau erioed.'

DYNA DDISGRIFIAD Y NOFIWR MARK SPITZ O Michael Phelps, y gŵr wnaeth gipio 8 medal aur yng Ngêmau Olympaidd Beijing 2008 – un yn fwy na'r nifer enillwyd gan Spitz ei hun yn Munich yn 1972. Erbyn hyn mae ei gyfanswm o 14 medal aur Olympaidd a 37 record byd yn golygu fod rhai'n credu ei fod e'n hanner dyn a hanner dolffin!

Michael Phelps yn arddangos un o'i wyth medal aur

Ar ddiwrnod cyffredin, mae modd gweld Michael Phelps yn cerdded ar balmentydd Baltimore, yn gwrando ar gerddoriaeth hip-hop ar ei MP3, i gyfeiriad ei bwll nofio lleol yn Meadowland lle mae e'n ymarfer yn gydwybodol yng nghwmni pensinwyr yn y lôn nesaf sy'n nofio'n hamddenol o un pen o'r pwll i'r llall. Mae ei benderfyniad i gystadlu yn Llundain wedi ychwanegu at y diddordeb yn y gamp gan fod y nofiwr arbennig arall hwnnw, Ian Thorpe, neu'r Thorpedo o Awstralia, gyda'i draed maint 17, wedi ail-feddwl ynglŷn â'i ymddeoliad ac yn bwriadu herio maestro Maryland.

'Nid y medalau sy'n fy ngyrru 'mlaen a na, dwi'n meddwl fawr ddim am gystadlu yn erbyn y cloc. Yr atgofion sydd o bwys a manteisio ar bob un cyfle i gystadlu yn erbyn rhai o nofwyr gorau'r byd.'

Arwr Michael Phelps yw'r pêl-droediwr o Ariannin, Lionel Messi.

'Mae e'n anhygoel; does dim modd tagu ei athrylith. Mae'n amhosib rhagweld beth a wnaiff nesaf.'

Gallai'r un peth fod yn wir am Michael Phelps ei hun!

Enw: **Michael Fred Phelps**
Llysenw: **The Baltimore Bullet**
Dyddiad geni: **30 Mehefin 1985**
Man geni: **Baltimore, Maryland, UDA**
Taldra: **1.94m (6 troedfedd, 4 modfedd)**
Pwysau: **91kg (14 stôn, 3 pwys)**

LLWYDDIANT OLYMPAIDD
ATHEN 2004: 6 MEDAL AUR A 2 FEDAL EFYDD
BEIJING 2008: 8 MEDAL AUR

Nicole Cooke

BEIJING 2008

DECHRAU DIGON CYFFREDIN FU I YRFA FEICIO lwyddiannus Nicole Cooke, y ferch o bentre'r Wîg ym Mro Morgannwg. Am bedair blynedd, glaw neu hindda, byddai ei thad, Tony, Nicole a Craig, ei brawd, yn teithio 'nôl a 'mlaen o'u cartref i Ysgol Uwchradd Brynteg, lle roedd Tony hefyd yn athro, ar gefn eu beics. Byddai'r daith yn dechrau'n brydlon am 7.20 y bore a'r nod oedd cyrraedd yr ysgol ymhen yr awr er mwyn cael cawod a newid ar gyfer gwersi'r bore.

Heblaw'r ffaith fod beicio'n amlwg yn y gwaed, roedd penderfyniad Sianel Pedwar i ddarlledu'r *Tour de France* yn y 1900au cynnar yn hwb aruthrol i Nicole Cooke hefyd. Gyda chymorth y teulu yn ogystal â thrwy fynychu Clwb Beicio Ajax Caerdydd a chystadlu mewn rasys beics ledled Prydain roedd hi'n anochel y byddai Nicole yn dilyn gyrfa fel beicwraig broffesiynol.

Ac fe ddaeth i'r brig yn gynnar iawn. Enillodd ei phencampwriaeth hŷn gyntaf pan oedd hi'n ddim ond yn 16 oed. Hi oedd y gystadleuwraig ieuengaf erioed i gymryd rhan yn ras y merched ym Mhencampwriaeth Genedlaethol Beicio Ffordd Prydain. Yn 2001, enillodd Wobr Goffa Bidlake am ei llwyddiant aruthrol ym myd beicio ym Mhrydain, cyn ymuno â thîm beicio proffesiynol Deia-Pragma-Colnago ddechrau 2002 a dechrau cystadlu ac ennill pencampwriaethau eraill ar hyd a lled y byd.

Taniodd Nicole Cooke ddychymyg y byd chwaraeon gyda'i pherfformiad anhygoel yng Ngêmau Olympaidd Beijing 2008. Â'r amodau'n anodd, y glaw yn pistyllu i lawr a dim ond 250m o'r ras yn weddill, brwydrai dwy am y fedal aur – Emma Johansson o Sweden a Tatiana Guderzo o'r Eidal. Ac yna ymddangosodd Nicole drwy'r niwl. Llywiodd y beic yn ofalus o gwmpas y cornel olaf twyllodrus. Cododd ychydig o'i sedd. Pedlodd yn bwrpasol – ei choesau'n mynd lan a lawr fel pistynnau. Aeth yn ei blaen heibio i Johansson a Guderzo a chipio'r fedal aur unigol gyntaf erioed i ferch o Gymru.

Rhyddhad Nicole Cooke o groesi'r llinell derfyn o flaen ei gwrthwynebwyr

Enw: **Nicole Denise Cooke**
Dyddiad geni: **13 Ebrill 1983**
Man geni: **Abertawe, Cymru**
Taldra: **1.67m (5 troedfedd, 6 modfedd)**
Pwysau: **58kg (9 stôn, 1 pwys)**
Camp: **Beicio ar y ffordd**

LLWYDDIANT OLYMPAIDD
BEIJING 2008: MEDAL AUR

Nicole â'i medal aur

YMLAEN I LUNDAIN

2012

Ymarfer yn y Pwll Nofio Olympaidd yn Llundain cyn Gêmau 2012

Dai Greene

UN SYDD WRTHI'N YMARFER YN GALED AC YN paratoi yn drwyadl ar gyfer Gêmau Olympaidd Llundain 2012 yw'r rhedwr 400m dros y clwydi o Lanelli, Dai Greene. Mae ei berfformiadau yn ystod y tymhorau diwethaf wedi bod yn rhyfeddol wrth iddo ennill medalau aur ym Mhencampwriaeth Ewrop yn Barcelona 2010, Gêmau'r Gymanwlad yn Delhi 2010 a Phecampwriaethau'r Byd yn Daegu 2011. Heb unrhyw amheuaeth, Dai yw'r ffefryn clir i efelychu campau rhai o gewri'r gorffennol megis David Hemery (48.12 eiliad yn ninas Mecsico 1968), Ed Moses (47.63 eiliad yn Montreal 1976) a Kevin Young (46.78 eiliad yn Barcelona 1992).

Serch hynny, mae'n amhosib cymryd dim yn ganiataol. Bydd Dai'n ymwybodol fod rhai o fawrion y byd athletau wedi torri sawl record byd yn ogystal ag ennill cyfres o bencampwriaethau ond wedi boddi yn ymyl y lan yn y Gêmau Olympaidd.

Cryfder Dai Greene, heb unrhyw amheuaeth, yw ei ymroddiad llwyr i ras lle mae hi bron yn amhosib ymlacio. Mae mor benderfynol i glirio'r clwydi ac mae'r gallu ganddo i osod ei stamp ar ras sy'n gofyn am dipyn o nerth a chryfder. I Dai, dyw'r ras byth drosodd:

'Sdim shwt beth a thowlu'r sbwnj mewn!'

Cofiwch, mae'n wir dweud y byddai Colin Jackson ac eraill yn fwy na pharod cyfnewid llond silff-ben-tân o fedalau am un medal aur Olympaidd. Dyna'r freuddwyd i bob athletwr a dyna fydd yn gyrru Dai Greene, yn feddyliol ac yn gorfforol, yn y misoedd yn arwain i'r cyffro yn Llundain.

Enw: **David 'Dai' Greene**
Dyddiad geni: **11 Ebrill 1986**
Man geni: **Felinfoel, Llanelli, Cymru**
Taldra: **1.85m (6 troedfedd)**
Pwysau: **77kg (12 stôn, 1 pwys)**
Camp: **400m dros y clwydi**

Rhys Williams

RHAID NODI HEFYD FOD YNA un Cymro arall â'i fryd ar lwyddo yn ras y 400m dros y clwydi yn Llundain. Roedd 2011 yn dymor i'w anghofio i Rhys Williams o Drelales. Methodd y cyn-ddisgybl o Ysgol Llanhari yn ei ymgais i gystadlu ym Mhencampwriaethau'r Byd yn Daegu o ganlyniad i gyfres o berfformiadau siomedig. Ond gobeithio y bydd Rhys yn ail-ganfod ei awydd a'i gyflymdra ac yn bygwth Dai Greene, Javier Culsor o Puerto Rico a LJ van Zyl o Dde Affrica yn Llundain. Wedi'r cwbwl, Rhys oedd yn ail i Greene yn Barcelona ac yn drydydd iddo yn Delhi yn 2010. Fe fyddai'n braf gweld dau Gymro yn camu, un ar ôl y llall, i ben y podiwm Olympaidd!

Enw: **Rhys Williams**
Dyddiad geni: **27 Chwefror 1984**
Man geni: **Pen-y-bont, Cymru**
Taldra: **1.8m (5 troedfedd, 10 modfedd)**
Pwysau: **73kg (11 stôn, 6 pwys)**
Camp: **400m dros y clwydi**

Helen Jenkins yn gorffen cymal olaf y triathlon, sef rhedeg 10km

Helen Jenkins

UN O ATHLETWYR BENYWAIDD mwyaf llwyddiannus y byd ar hyn o bryd yw Helen Jenkins o Ben-y-bont. Mae hi wedi dod i'r brig dros y blynyddoedd diwethaf yn un o gystadlaethau mwyaf anodd y byd, sef y triathlon, sy'n gofyn i gystadleuwyr nofio 1.5km, beicio 40km a rhedeg 10km. Enillodd Helen y cyfle i gystadlu yng Ngêmau Olympaidd Llundain ar ôl ennill Cyfres Pencampwriaeth y Byd yn Llundain ym mis Awst 2011. Rhwng 2002 a 2010, mae hi wedi cystadlu mewn 42 o gystadlaethau triathlon rhyngwladol, gan gyrraedd y deg uchaf 28 o weithiau ac ennill 14 o fedalau. Mae'n cael ei hyfforddi gan ei gŵr, Marc Jenkins.

Enw: **Helen Rebecca Jenkins (Tucker gynt)**
Dyddiad geni: **8 Mawrth 1984**
Man geni: **Elgin, Moray, Yr Alban**
Taldra: **1.68m (5 troedfedd, 6 modfedd)**
Pwysau: **55kg (8 stôn, 6 pwys)**
Camp: **Y triathlon**

Oscar Pistorius

MAE'R CWESTIWN YN UN LLOSG – A DDYLSAI Oscar Pistorius, yr athletwr sy'n rhedeg ar lafnau ffeibr-carbon ar ôl colli dwy goes islaw'r ben-glin, gystadlu yng Ngêmau Olympaidd Llundain 2012? Mae rhai, fel Martyn Rooney, rhedwr gorau 400m Prydain ar hyn o bryd, yn awyddus i weld Oscar yn cystadlu:

'Nid twyllwr yw e. Dyw e ddim ar gyffuriau. Efallai fod ganddo fantais ond mewn agweddau eraill mae mantais gyda ni.'

Ond mae eraill, fel Roger Black, a fu hefyd yn cystadlu dros Brydain yn ras y 400m, yn ansicr a ddylsai Pistorius gael yr hawl i redeg yn erbyn goreuon y byd.

Oscar yn dechrau ras 400m

'Dwi wir ddim yn siŵr – mae e naill ai'n rhedwr anhygoel neu'n rhedwr da sydd â mantais.'

Ganwyd Oscar Pistorius heb fibula, sef yr asgwrn sy'n ymestyn o'r ben-glin i'r bigwrn, a phenderfyniad y meddygon oedd torri'i goesau i ffwrdd ac yntau ond yn flwydd oed. Ond ni fu hynny'n rhwystr i Oscar fel athletwr. Derbyniodd ganmoliaeth o bob cyfeiriad am ei lwyddiant. Ond roedd yna fwlch sylweddol o ran amser yn dal i fodoli rhwng y rhedwyr Olympaidd gorau a'r gŵr o Dde Affrica.

Ond daeth tro ar fyd! Yn dilyn damwain ddifrifol ar gwch yn yr afon Vaal yn Ne Affrica yn 2009, daeth Oscar yn agos at golli'i fywyd. Ond yn ffodus, gwellodd o'i anafiadau a dechreuodd ganolbwyntio'n llwyr ar ffitrwydd, diet a thechneg a chael llwyddiant anhygoel. Mewn ras 400m yn yr Eidal yn ystod haf 2011, enillodd mewn amser o 45.07 eiliad sef amser a fyddai'n caniatáu iddo gystadlu yng Ngêmau Olympaidd Llundain 2012.

Beth bynnag y farn, does dim dadl fod Oscar Pistorius yn *Superman* cyfoes, yn athletwr uwch-naturiol ac yn arwr i bawb.

Enw: **Oscar Leonard Carl Pistorius**
Llysenw: **Blade Runner**
Dyddiad geni: **22 Tachwedd 1986**
Man geni: **Sandton, Johannesburg, De Affrica**
Taldra: **1.86m (6 troedfedd, 1¼ modfedd)**
Pwysau: **80.5kg (12 stôn 7 pwys)**
Camp: **400m**

Oscar yn cystadlu dros Dde Affrica ym Mhencampwriaethau'r Byd yn Daegu 2011

AC YN OLAF

WRTH REDEG O GWMPAS TRAC HYNAFOL STADIWM BERLIN RAI BLYNYDDOEDD YN ÔL (ras gyfeillgar ddiwrnod cyn marathon y ddinas) treuliais funud neu ddwy yn ystyried yr hyn sydd wedi digwydd ym myd y campau ers perfformiadau bythgofiadwy Jesse Owens yno yn 1936.

- Adolf Hitler yn anfodlon mai dyn du o'r Unol Daleithiau hawliodd y penawdau. Gwrthododd y Fuhrer ei gydnabod yn bencampwr.
- Athletwyr duon yn Ne Affrica'n cael eu diystyru a'u diraddio o ganlyniad i bolisiau anghyfiawn y llywodraeth yno
- Cystadleuwyr yn ennill medalau drwy ddibynnu'n llwyr ar gyffuriau
- Y dial a'r lladd yng Ngêmau Olympaidd Munich yn 1972
- Y ffensiwr Boris Onishenko yn twyllo a er mwyn cyrraedd y brig yng Ngêmau Olympaidd Montreal 1976
- Ymosodiad corfforol ar y sglefrwraig Nancy Kerrigan mewn stryd gefn yn Detroit
- Ambell asiant yn mynnu bod arian yn y banc yn bwysicach na lles y gamp

Mae'n rhaid i bawb ddechrau yn rhywle

Ond ar nodyn mwy cadarnhaol, rhaid cofio i lwyddiant Jesse Owens yn y Gêmau Olympaidd fod yn ysbrydoliaeth i filiynau o bobl ar draws y byd. Bu Fanny Blankers-Koen yn arwres i fenywod hefyd ar ôl ei buddugoliaethau yng Ngêmau Olympaidd Llundain 1948.

'Y cystadlu sy'n bwysig, nid yr ennill.'

Dyna oedd cri'r Ffrancwr, y Barwn Pierre de Coubertin yn 1896.

Mae'n briodol gorffen ar nodyn ysgafn. Yn ôl y carreg fedd ym mynwent Llanwynno rhedodd y Cymro enwog Guto Nyth Brân ddeuddeg milltir mewn awr namyn saith munud. 'Sgwn i sut fyddai'r rhedwr chwedlonol wedi ymdopi â rhedwyr Olympaidd megis Paavo Nurmi, Emil Zátopek a Lasse Virén? Mae'r ystadegau'n cadarnhau y byddai'n eu gadael ymhell y tu ôl iddo. Yn ôl y bardd I.D. Hooson:

'Ysgafndroed fel sgyfarnog
A chwim oedd Guto enwog –
Yn wir dywedir bod ei hyntwww
Yn gynt na'r gwynt na'r hebog.'